JN034198

単元縦断 × 教科横断

主体的な学びを引き出す 9つのステップ

木村明憲〔著〕　黒上晴夫・堀田龍也〔監修〕

さくら社

はじめに

私は，今年度小学校の教員をはじめて 20 年になります。20 年間の 4 分の 3 を情報教育，情報活用能力の育成に力を注いできました。

情報活用能力の育成に興味をもったのは，京都市総合教育センターで研究員としてこれらの力の育成に取り組んだことがきっかけでした。はじめは，情報教育と聞くと教師が ICT を活用して授業を行ったり，子どもたちが ICT を活用して学んだりすることだけをイメージしていましたが，実際に研究をすすめると，子どもたちがうまく情報を活用する力を身につけることが非常に大切なことだと感じるようになりました。

そして，そのような力が様々な教科・領域で生かされ，ひいては子どもたちが社会に出た際に生きて働く力になると気づきました。そのような気付きから，情報活用能力を育成するための教材「情報学習支援ツール」を作成し，それを活用した授業実践に日々取り組んできたわけです。

そんな中，情報活用能力を育成する情報学習支援ツールを活用した授業実践がこれからの授業の核になると確信できる出来事が起こりました。それは，子どもたち一人一人が授業でタブレット PC を活用して授業を受けるようになったことです。当時の勤務校である京都教育大学附属桃山小学校では，全国に先駆け，子どもたち一人一人がタブレット PC をノートや教科書のように日常的に活用する取り組みを進めていました。このような環境で授業をするようになり，授業のつくり方が一変したのです。

どのように変わったのかを細かくまとめたのが，本書で紹介する「単元縦断型」授業です。私は，子どもたちがタブレット PC を活用して活動する授業を考えることで，単元に入る前に，子どもたちがどの場面で見通しをもつのか，どの場面で対話的に活動するのか，どの場面で振り返るのかを考えるようになったのです。

なぜ，そのような授業を考えるようになったのかを振り返ってみると，集めた情報を容易にタブレット PC に記録することができるようになり，「授業と授業をうまくつなげることができるようになったから」そして，「単元の終了時に，これまでの学習を見渡しながら容易に振り返ることができるようになったから」です。

この出来事が起こる前は，日常の多忙な業務に，どうしても次の日の授業の教材研究が中心になりがちで，単元を見通した教材研究ができていませんでした。しかし，子どもたちがタブレット PC で学ぶ授業を行うようになり，そのような教材研究（授業の組み立て）では，子どもたちが主体的に学んだり，対話的に学んだりする場面をうまく設定することができていないことに気がついたのです。

本書では，単元を通して教材研究を行うこと（単元縦断型授業），また，単元縦断型の学習パターンを様々な教科で汎用的に実施すること（教科横断型授業）について述べています。

「単元縦断×教科横断」の授業を読み深めながら，「主体的・対話的で深い学び」の実現，学習の基盤となる情報活用能力を発揮する授業について考える機会にしていただけますと幸いです。

2020 年 8 月

木村明憲

単元縦断×教科横断 主体的な学びを引き出す９つのステップ もくじ

第2章 単元縦断×教科横断

第3章 単元縦断型の授業

第4章 単元縦断×教科横断型授業を実現させる教材

終章：可視化によって生み出すもの

黒上晴夫

序章：その授業で何を身につけさせようとしていますか？

東北大学大学院情報科学研究科・教授・堀田龍也

1．授業はほんとうに難しい

学校の働き方改革が叫ばれるほど多忙な学校現場。近年増加している若い教師たちの悩みは，明日の授業の準備でしょう。しかも，毎日次々に生じる子どもたちの生徒指導上の対応や保護者対応，学校行事の準備，校務分掌や諸書類の作成と提出に追われる中で，授業の準備は後回しになってしまいます。さりとて，準備しないで授業に挑むほどの力量はなく，一方で準備しても「ほんとうにこれでいいのかな？」という思いは拭えないまま授業に臨むことが多いことでしょう。時になぜか授業が盛り上がることもある一方で，子どもたちが困った表情をするのを見て自分の力量不足に打ちひしがれることもあります。それを十分に反芻するような時間的な余裕はなく，またすぐに翌日を迎えてしまいます。

教師経験がある人はみんな，このような悩みを通り過ぎて今があります。授業は経験を積むことによって，それなりにこなせるようになります。しかし，必ずしもうまくなるわけではありません。ここが問題です。授業力が向上するような授業の準備の方法を考えておく必要があります。

授業をする際には教材を用います。教材の中心は教科書です。その他に資料集やドリルなどを用います。教師が提示用教材を準備することもあるし，ワークシートを作成することもあります。それらの教材準備にも日々追われることでしょう。

一般に，授業準備の中心は教材研究だと言われます。野口芳宏（2011）によれば，教材研究には３つの段階があります。１つめは「素材研究」。１人の人間としてその素材に向き合うということです。２つめは「狭義の教材研究」。素材を理解した上で，教師としてこの内容を子どもたちにどのように理解させればよいかという観点で教材に対峙することです。３つめは「指導法研究」。授業の組み立てや進め方を考え，どのタイミングでどのような提示をするかなどを具体的に考えることです。

授業の例をもとに考えてみましょう。

小学校第６学年の社会科では，明治維新のことを教えます。教科書には，この単元の導入として，江戸時代末期の町の様子と，明治時代初期の町の様子の絵が対比するように提示されています。単元の導入ということもあり，教科書には「江戸時代から明治時代へどのように変わったのか」というような大きめの学習課題が示されています。

２枚の絵を比べれば，何が変わったかという具体的なものを見つけることができます。和服が洋服になった，人々の髪型が変わった，人が乗る籠が馬車や人力車になった，建物が洋館になった，ガス灯がついた，腰に刀を差している人がいなくなったなどが子どもたちから出てきます。間違い探しみたいな学習活動なので，どの子も喜んで参加し，活発な授業になります。教師はそれを１つ１つ板書することでしょう。

問題はそこから先です。

例えば服装や髪型が変わったということは外国の影響による流行の問題かも知れません。洋館も外国の影響でしょう。ガス灯がついて，町は明るくなって便利になったでしょうが，その技術もまた外国からの影響でしょう。馬車もそうかも知れません。ほかの資料を見比べているうちに，外国の影響とつなげる考えは出てきます。個別の変化を整理することから，生活や社会の変化に気付かせ，それらが外国の影響と考えられることから，この頃に外国との交流が盛んになったのではないか，生活が豊かになるから新しい考えをどんどん取り入れたのではないかと考えを誘う必要があります。

そこまで整理できると，わずか 20 年ほどでこれだけ町の様子が変わった理由が，それまでに学んだ鎖国，出島，蘭学などの知識と関連付くでしょう。この段階では年表の利用が有効です。これまでのノートを見直させ，年表で確認していくとよいでしょう。教師からは，次時以降の予告として，黒船の来航，文明開化，四民平等，大日本帝国憲法の発布などをチラッと語った上で，「明治維新」という言葉の意味を教えることで，この時期に社会が大きく変化したことが伝わることでしょう。

2. 個別の知識をつなげる学び方をさせるために

今の授業の例でいえば，前半の学習活動で見つけたこと，例えば和服が洋服になったことや人々の髪型が変わったことなどは個別の知識です。授業の後半では，それらの個別の知識をつなげて，変化を種類分けし，生活や社会の変化に照らして思考し，判断し，表現させることによって，明治維新という新しい言葉とその概念にあたる本質的な意味を理解していきます。外国の影響については，最初は予想レベルでしょうが，それまでの歴史学習の中から，例えば遣唐使のこと，鉄砲やキリスト教の伝来のことなどのできごとと照らし合わさせることによって，日本は外国の良い点を積極的に取り込んできたという見方を教えることができます。鎌倉時代から江戸時代までの武士の世の中のことを長く学んできていますから，明治維新によってもたらされた新しい社会が，今の時代につながっているかも知れないという考え方もすることでしょう。

この授業に該当する教科書のページはたかだか２ページです。そこにある資料を１つ１つ確認するだけでも45分の授業時間は過ぎていきます。変化を見つける学習活動は，あくまで材料を整えているだけであり，本質的な学習は後半にあります。後半でこれまでの学習成果，歴史の見方・考え方を発揮させることが大切なことになります。

したがって，教師がこの２ページだけを直前に教材研究しても，良い授業が実現しないのは自明です。「素材研究」にあたる部分は，高校入試や大学入試で得た知識で何とかなるでしょう。しかし，「狭義の教材研究」にあたる，子どもたちにどのように理解させればよいかという観点についても，個別の知識レベルで考えているようでは，思考・判断・表現する学習活動や，見方・考え方につながる学習活動には至りません。この単元の少し先に出てくる明治維新のさまざまな成果を把握しておく必要があります。教師自身が明治維新をどう捉え，子どもたちにこのことをどのように実感させるかを考えるために，前半の見つける学習活動と，後半の考えをリードしていく学習活動を，45分に納める時間配分をイメージできなければなりません。そこまでいってようやく「指導法研究」になるのです。

1時間のこの授業を準備するためには，単元レベルで先々を考えておく必要があることがわかりました。単元を見通しておくような教材研究をすると，全何時間でここまでいくのかというペース配分がわかります。このことは少し先で強調すればいいから今は軽く扱えばいいというようなこともわかります。逆に今ここでしっかりと考え方を身につけさせておくことで，それを先々に援用させようという作戦を立てることもできます。

子どもたちから見れば，教科書のページが変われば，考えるべき学習の個々の内容も変わっているように見えます。しかし少なくとも同じ単元である以上は，1時間ごとの授業を貫いている内容があるはずです。先の授業でいえば，外国の影響によって変わった社会のありようを確認していくということでしょう。その例が四民平等だったり，大日本帝国憲法だったりというわけです。

ということは，できれば毎時間の授業のスタイルを共通化してみるとよいかもしれないと気づきます。授業のはじめには学習課題の確認をし，それに関係する情報を教科書や資料から集め，整理し，そこから言えそうなことを子どもたちが自分なりに考え，それをグループやクラス全体で共有して，教師の力を借りながら概念化し，既習事項とつなげ，見方・考え方を養っていき，授業の終わりには振り返りを行うというわけです。毎時間がおおむね同様のスタイルで進むということは，子どもたちにとって見通しがつきやすいこともあれば，学び方が身につきやすいということでもあります。

こういう授業を4月から繰り返していくと，次第に子どもたちは慣れてきます。しっかり鍛えていけば，学び方も身についていきますから，例えば2時間に亘るような調べ学習等もできるようになります。2学期になれば，単元レベルで問題解決するような授業を検討することができるようになるでしょう。

単元レベルの数時間に亘る授業構成となると，教科書や資料集だけでなく，NHK Eテレの映像や，インターネット上の情報など，多様なリソースが必要となります。また，子どもたちにも，個で調べる学習活動，グループで情報共有したり対話したりする学習活動などに慣れてもらう必要が生じます。つまり，多様な学び方を経験させる必要があるということです。

3.「何を学ぶか」から「どのように学ぶか」へ

2020 年度に小学校から順次全面実施となった学習指導要領を検討したのは，第 8 期中央教育審議会でした。中央教育審議会では，我が国のこれまでの学校教育の蓄積を生かしていくことを大切にしつつも，個々の知識のあるなしに拘泥せず，むしろ知識を得る方法のような汎用的な能力の育成を重視することを目指した改訂となりました。その結果，個別の事実に関する知識を，社会の中で汎用的に使うことのできる概念等に関する知識に構造化していくための学習活動や指導法に踏み込みました。それが「主体的・対話的で深い学び」の視点からの授業改善という言い回しです。

児童生徒が教育課程全体を通して「何ができるようになるか」ということを，中央教育審議会では「資質・能力」と呼称し，学校教育法第 30 条第 2 項が定める学校教育において重視すべき 3 要素に照らし合わせて，「資質・能力の三つの柱」として次のように整理しました。

①何を理解しているか，何ができるか（生きて働く「知識･技能」の習得）
②理解していること・できることをどう使うか（未知の状況にも対応できる「思考力・判断力・表現力等」の育成）
③どのように社会・世界と関わり，よりよい人生を送るか（学びを人生や社会に生かそうとする「学びに向かう力・人間性等」の涵養）

これまで同様，①の知識・技能はもちろん重視していますが，知っている，できるということに留まらず，その知識が活用できることが大切です。それが②にあたります。そうやって身につけた力を，自分の人生や社会に生かそうという態度も重視しています。

このような資質・能力の育成は，教師が子どもたちに向けて説明するだけの授業では身につくはずはありません。教え方を変えていく必要があります。具体的には，子どもたち自身が課題を自分ごととして捉え，自分たちなりに情報を収集し，整理し，友だちなどの他者と対話する中で表現し，考えを更新し，学び方の精度を少しずつ向上させていくようなサイクルを授業の中に組み込むことが望まれます。1時間の授業だけでできることではありませんから，せめて単元レベルで授業づくりをする必要があるのです。

4. 情報活用能力を育て発揮させる単元縦断型授業

小学校学習指導要領の総則には，「学習の基盤となる資質・能力」の1つに情報活用能力を位置づけています。

ここでいう「学習の基盤となる」というのは，各教科等で育成する資質・能力を，教科等の枠を超えて「基盤」として支える資質・能力があるということです。「基盤」という言葉が示すように，各教科等の学習においてベースとなって機能するということです。そこに情報活用能力が位置づけられたというわけです。

情報活用能力とは，子どもたちがICTを適切に操作できることに留まらず，ICT等から得られた情報を適切かつ効果的に活用する能力です。

「主体的・対話的で深い学び」の視点からの授業改善で期待される学習活動では，子どもたちがさまざまな情報を取り扱い，得た情報を読解し，必要に応じてそれらをICTで収集したり保存したり再加工したりプレゼンテーションしたりといったシーンが想定されます。このようなシーンで子どもたちが用いる資質・能力は，各教科等での学びの成果のみならず，情報及びICTを適切かつ効果的に活用する情報活用能力であり，それが発揮されてこそ「主体的・対話的で深い学び」の視点からの授業改善が成立しやすくなるわけです。情報活用能力が，子どもたちの各教科等でのダイナミックな学びを支える基盤として作用するというわけです。

情報活用能力のような資質・能力の育成や，情報活用能力を十分に発揮した学習活動が期待されている今回の学習指導要領に備えて，文部科学省は子どもたちに１人１台の情報端末が行き届くように「GIGA スクール構想」という 4,610 億円もの補助金を計上しました。また，情報端末で用いる主たる教材としてデジタル教科書の検討を進めており，デジタル教科書を用いて学習しても教科書の使用義務を果たしたとみなすなど学校教育法の改正も行われました。子どもたちが情報端末を用いて協働で学ぶためのツール群も普及しています。

さらに，全国学力・学習状況調査や大学入学者選抜において CBT（コンピュータで試験を行うこと）の導入が検討され，今後は ICT を自在に操作できなければ入試でも不利になることは明白となっています。

これからの時代は，流れの速い時代になります。先々の見通しがつきにくい時代でもあります。そんな時代を生きていく子どもたちには，いつでも必要な知識を得る力，つまり学んだ結果としての知識だけでなく，学ぶ姿勢や学び方のスキルをしっかりと持っていることが必要とされます。私たち大人が子どもだった頃とは，学力観が変化していることに留意しなければなりません。

学習指導要領において示された資質・能力の三つの柱をもとに教師が子どもたちに身につけさせるべき力を見直し，そのために必要となる単元レベルの教材研究をし，学び方としての情報活用能力を子どもたちが身につけ発揮するような学習活動の組み込んだ単元づくりをし，これをしっかりとこなしていけるような学びに向かう力をもった子どもたちに育てていくことが求められているのです。本書は，その具体的な方法を提供することを目指した「これからの授業づくり」をまとめた書籍です。

（参考文献）

野口芳宏（2011）『野口流　教師のための発問の作法』学陽書房

授業と教材研究を見直す

2020年度から小学校では新しい学習指導要領に則った学習が実施されるようになりました。さらに2021年度から中学校が，その翌年から高校が，段階的に実施されていきます。

今回の学習指導要領の改訂で最も重要なところは，「主体的・対話的で深い学び」につながる授業改善です。ここで言われる「学び」とはどのような学びなのか……我々教師が追究し，授業改善を行っていく必要があります。

ところが，実際に授業に臨むにあたり「一夜漬け教材研究」に陥ったりしていませんか。日々の授業のために教材研究をすることは素晴らしいことです。しかし，「一夜漬け教材研究」では子どもたちの学びが「主体的，対話的で深い学び」に繋がりにくいのです。

こんなことになっていませんか——一夜漬け教材研究の落とし穴

日常型一夜漬け教材研究——①職員会議編

「一夜漬け教材研究」には「日常型」と「研究型」の２つがあります。「日常型」は，教員になって１～３年目の若年の先生に多いパターンでしょう。

ようやく本日の授業が終わったところで，緊急の職員会議が入ってしまいました。明日の授業に備えて教材研究をしようと思っていたのにも関わらず……。未だ取り組んだことのない単元もあるし，よりよい授業をしようと思えばこそ，必然的に帰宅してから夜晩くまで教材研究をすることになってしまいました。

毎日，明日の授業のために教材研究をすることは素晴らしいことです。しかし，毎日授業前日に６時間分の授業の教材研究を続けることはとても難しいことです。

日常型一夜漬け教材研究――②保護者対応編

自分の計画に従って，明日の授業に備えた教材研究を始めたところで，保護者が登場。切々と訴えられると，親御さんの子どもを思う気持ちもわかるあまり，無碍にお引き取り願うこともできず，ついつい長丁場になって……。

これもよくあるパターンです。

これらの先生のように急な職員会議や保護者対応が入り，教材研究の時間が取れなくなることはよくあります。しかし，授業は待ってくれません。教材研究をせずに教壇に立つと，授業がうまく進まず子どもたちも深く考えたり，学習に集中したりすることができない状況になってしまいます。

これが「日常型一夜漬け教材研究」の落とし穴です。

研究型一夜漬け教材研究――③研究授業編

「研究型」は，教員になって5～10年の先生に多いパターンです。

左の場合の落とし穴は何でしょうか。それは，「研究授業を行う教科の教材研究や学習指導案の作成に時間をかけ過ぎてしまう」「授業公開をする本時の教材研究ばかりに気を取られてしまう」ことです。

研究授業に向け，公開する教科を突き詰め，研究授業での子どもたちの反応を考えながら授業の流れを綿密に考えていくことは，教師としての力量を高める上でとても重要なことだと思います。しかし，研究授業があるからと言って他の教科を疎かにしてもよいというわけではありません。また,研究授業では,公開する授業だけに教材研究の重点が置かれがちで，公開授業が終わった後は，お祭が終わったかのように気が抜けてしまうことも。そうなってしまうと,もはや子どもたちための授業ではなく教師のための授業です。

研究型一夜漬け教材研究──④外部研修優先編

この場合はどうでしょう。学校外の研修会やセミナーに参加することは，教師としての力量を高める上でとても大切です。また，他の先生の実践を聞いたり，日常の授業や子どもたちとの関わり方について話をしたりすることで，新たに発見することもあるでしょう。しかし，そうなると教材研究をする時間が奪われることにも繋がります。

③④のように校内の研究で積極的に授業を公開し，他の先生から意見をもらったり，研修会などに足を運び自らの実践について発表したりすることはとても良いことです。しかし，研究授業や研修会にも落とし穴があるのです。

このような状況を解決するのが「単元縦断型授業」です。研究授業の教材研究もしながら，日常の授業の教材研究もする，公開する授業ばかりに目を向けるのではなく，単元を見通して授業づくりをする方法を身につける。そのための一つの手段が「単元縦断型授業」です。

本書で紹介する「単元縦断型授業」とは，単元が始まる前に，単元を見通して教材研究を行い，授業を行うことです。これは決して新しい考え方ではなく，以前から重要視されてきたことで，学習指導案を書く際に単元計画を作成するのと同じことです。しかし，多くの先生が日々の多忙な業務の中で一夜漬け教材研究に陥っています。一夜漬け教材研究では，子どもが主体的に見通しをもって学習する姿には繋がりません。

本書では，子どもが「主体的・対話的で深い学び」を実現させ，教員の教材研究の効率化にもつながる方法として「単元縦断型授業」について提案します。

あなたの教材研究をチェック

該当する項目に✓を付けてみましょう。

	チェック項目		
	当日の教材研究を前日もしくは授業直前にやっている。		
	教材研究をするときは，目標，発問·指示，板書計画，ICT の活用を中心に考える。		*
	教科書や指導書は本時の流れを中心に読んでいる。		
	本時案を考える際は前の授業，後の授業とのつながりを考えている。		
	新しい単元に入るときには，単元計画を立てる時間を確保する。		
	単元計画を考える際に，探究的な学習のプロセスを意識している。		
	子どもたちに単元という言葉を教えている。		
	子どもたちに探究的な学習のプロセスを教えている。		
	教科と教科のつながりを考えて，単元・授業の計画を立てている。		
	子どもたちが考えたり，話し合ったりする時間を確保している。		
	情報活用能力を育成することや，発揮させることを意識して単元や授業計画を考えている。		
	新しい単元に入る際は，子どもたちが単元の見通し（ゴールイメージ）をもつことができる時間を作ったり，手立てを講じたりしている。		
	前時の学習を思い出す時間を作ったり手立てを講じたりしている。		**
	子どもたちが学習内容に合わせて，学習方法を考えたり選択したりする時間を作ったり手立てを講じたりしている。		
	授業ではいつも学習の見通しをもつ時間を作ったり手立てを講じたりしている。		
	授業ではいつも他教科とのつながりを考える時間を作ったり手立てを講じたりしている。		
	授業ではいつも本時の学習を振り返る時間を作ったり手立てを講じたりしている。		
	単元が終了するときには，単元全体を振り返る時間を作ったり，手立てを講じたりしている。		
	情報を集めることについての指導を行っている。	情報活用能力について	
	情報を整理すること（思考ツール）についての指導を行っている。		
	情報をまとめることについての指導を行っている。		
	情報を伝えることについての指導を行っている。		
	ICT 活用についての指導を行っている。		

＊ここにチェックが付くと，要注意です。
＊＊チェックが多く付くほど，「主体的・対話的で深い学び」に近づきます。

「主体的・対話的で深い学び」を実現する教材研究とは

ここでは，みなさんの教材研究のやり方について振り返り，より深く，そして効率の良い教材研究の方法について考えてみましょう。

「小学校学習指導要領（平成 29 年告示）解説・総則編」では，「主体的・対話的で深い学びの実現に向けた授業改善」について，以下のように解説しています（第 3 節 1（1）。（　）内は筆者補足）。

［主体的な学び］

①学ぶことに興味や関心を持ち，自己のキャリア形成の方向性と関連付けながら，見通しをもって粘り強く取り組み，自己の学習活動を振り返って次につなげる（学び）

子どもが主体的な学びを進める上で，学ぶことに対して興味や関心をもつための工夫が必要であることがわかります。次に，子ども自身が学習を通してどのような自分になりたいのかの目標をもち，その姿に近づこうとする気持ちをもつことができるような手立てが必要であると考えられます。

例えば，授業の目標を共有する際にルーブリック（評価基準）を子どもたちと一緒に作成し，めざす姿を明確にしたり，単元の導入時に単元のゴールを見据えた課題（以下単元課題と示す）を設定したりすることが効果的であると考えられます。そして，設定した目標を達成するために，どのように学習を進めていけばよいのか考える活動，いわゆる学習計画を立てる活動を行うことが大切でしょう。

また，子どもが目標の達成に向け粘り強く取り組むために，一時間ごとや，単元の最後に自らの学習活動を振り返り，学習の成果と課題について考え，次の学習に活かそうとする活動が重要になってきます。

◆主体的な学びに向けた学習活動

A, 今までの既習事項や前時の学習とのつながりを考えるなど，学ぶことに対する興味や関心を高める活動

B, ルーブリックを作成し，到達基準を明確にしたり，単元課題を設定して単元のゴールイメージを共有したりする活動

C, 学習の計画を考えたり，作成したりする活動

D,1 時間の学習や単元の学習を振り返る活動

［対話的な学び］

②子供同士の協働，教職員や地域の人との対話，先哲の考え方を手掛かりに考えること等を通じ，自己の考えを広げ深める（学び）

対話的な学びとは，子どもと子どもが話し合いながら学ぶことはもちろん，教職員や地域の人々との対話を大切にすることでもあります。これらは，互いに会話することや，書いた文章を読み合って意見を出し合うことを意味します。さらに書籍や Web ページに掲載されている文章を読み，筆者の主張を考えたり，過去に生きた人々の生き方について考えたりすることも対話的な学びであると理解することができます。

◆対話的な学びに向けての学習活動

E, 子どもたち同士が目的をもって話し合ったり書いたものを読み合ったりする活動

F, 教職員や地域の人と対話する活動

G, 書籍や Web ページに掲載されている文章を読み深める活動

［深い学び］

③習得･活用･探究という学びの過程の中で，各教科等の特質に応じた「見方・考え方」を働かせながら，知識を相互に関連付けてより深く理解したり，情報を精査して考えを形成したり，問題を見いだして解決策を考えたり，思いや考えを基に創造したりすることに向かう（学び）

深い学びでは，集めた情報と集めた情報を関係づけたり，自分の知っている情報（知識）と友達が話した情報を比較し関連を見つけたり，集めた情報を各教科等の「見方・考え方」を基に分類して関係性を明確にしたりする活動が重要であると考えられます。また，集めた情報を詳しく読み取ったり，理解が難しい部分をもう一度調べ直したりして，自分の考えを作っていくこと。さらに，学習を進めるに当たり，子どもが事実から「どのようにしてそうなるのか？」「なぜそのようになったのか？」などの疑問や問題点を見つけ出す場面を設定し，その問題の解決策である情報の集め方（調べ方）や，整理の仕方などの学習方法を考える活動が重要です。そして，これらの活動から作られた思いや考えを基に，新しい価値（考え方）を作り出し，話したり書いたりしていくことが深い学びにつながると考えられます。

◆深い学びに向けての学習活動

H, 情報と情報の関係を考え，様々な情報をつなげたり，比べたりしながら考える活動
I, 集めた情報を深く理解する活動
J, 疑問や問題点を見つけ出し，解決方法を考える活動
K, 思いや考えを基に，新しい価値（考え方）を作り出す活動

加えて「小学校学習指導要領（平成 29 年告示）解説・総則編」では，**「主体的・対話的で深い学びは，必ずしも 1 単位時間の授業の中で全てが実現されるものではなく，単元や題材など内容や時間のまとまりを見通して，（中略）授業改善を進めることが重要となる。」さらに「単元や題材など内容や時間のまとまりをどのように構成するかというデザインを考えることに他ならない。」**と示しています（第 3 節 1 （1））。このことから，1 時間の授業の中で，全ての要素が含まれるものではなく，単元や題材の中にこれらの要素が散りばめられていることが重要であることがわかります。

これらの学びを実現させるためには，「一夜漬け教材研究」では不可能です。なぜなら，単元に入る前に，授業者が単元全体の見通しを立ててお

く必要があるからです。

そこで，本書では，「主体的・対話的で深い学び」の考え方を基に，単元を通しての教材研究を用いた単元縦断型授業について提案します。

単元縦断型で教材研究を行うことにより，子どもが主体的に学ぶ時間，対話的に学ぶ時間，学びを深める時間を単元や題材の中に意図的に散りばめていくことができます。また，単元の見通しをもちながら毎時間の授業を行うことができるようになることから，「明日の授業は何をしたらよいだろうか !?」と前日に焦って教材研究をするといった一夜漬け教材研究を防ぐとともに，やり方次第では，教材研究の時間を短縮することもできます。ぜひ，単元縦断型授業を身につけ，子どもたちの学びを充実させるとともに，効率的な教材研究の方法を身につけてください。

情報活用能力の育成・発揮と教科横断的な指導

単元縦断型授業を行う上で理解しておきたい２つの指導があります。

１つは「情報活用能力を育成・発揮する指導」。もう１つは「教科横断的な指導」です。一見，単元を通して教材研究を行う上で「情報活用能力の育成がどのように関係するのか」。また，「単元縦断型と言いながら教科横断とは全く反対のことではないのか」と感じられるかもしれません。しかし，これらの指導が行われなければ，子どもが主体的・対話的に学習を進めることは不可能なのです。

・子どもが自ら学びを進めていくために必要な情報活用能力の育成・発揮

「小学校学習指導要領（平成29年告示）」では，情報活用能力の育成が重要視されています。全ての教科，領域の学習で子どもが情報活用能力を身につけ，発揮することができなければ「主体的・対話的で深い学び」を実現させることはできないでしょう。

総則（第１章 第２　２（1））には「各学校においては，児童の発達の段階を考慮し，言語能力，情報活用能力（情報モラルを含む。），問題発見・解決能力等の学習の基盤となる資質・能力を育成していくことができるよう，各教科等の特質を生かし，教科等横断的な視点から教育課程の編成を図るものとする。」と示されています。注目すべきは学習指導要領の総則の中に情報活用能力という文言が書き込まれたことです。今までは，教科の目標を達成する上で，必要となる情報活用能力を指導するという程度でしたが，今回の学習指導要領では，情報活用能力が学習の基盤として，教科学習を支える力として示されています。

情報活用能力と聞くと，コンピュータを使う力と思われがちです。しかし，実はそれだけではありません。「小学校学習指導要領（平成29年告示）解説・総則編」では，情報活用能力を「世の中の様々な事象を情報とその結び付きとして捉え，情報及び情報技術を適切かつ効果的に活用して，問題を発見･解決したり自分の考えを形成したりしていくために必要な資質･能力である。」（第２節２（1）イ）と説明しています。

この文言から情報活用能力が，情報や情報技術（コンピュータやインターネットなど）を使いこなし，問題を発見したり解決したりして，自分の考えを作り上げていくために必要な力であることがわかります。すなわち，情報活用能力を身につけることは学習の基盤となる資質・能力の一つとして挙げられた問題発見・解決能力を獲得することにもつながるのです。

さらに，情報活用能力とは具体的には「学習活動において必要に応じてコンピュータ等の情報手段を適切に用いて情報を得たり，情報を整理・比較したり，得られた情報を分かりやすく発信・伝達したり，必要に応じて保存・共有したりといったことができる力であり，さらに，このような学習活動を遂行する上で必要となる情報手段の基本的な操作の習得や，プログラミング的思考，情報モラル，情報セキュリティ，統計等に関する資質･能力等も含むものであ」り，加えて「教科等の学びを支える基盤であり，(中略）情報活用能力を発揮させることにより，各教科等における主体的･対話的で深い学びへとつながっていくことが一層期待されるものである。」と説明されています（同上）。

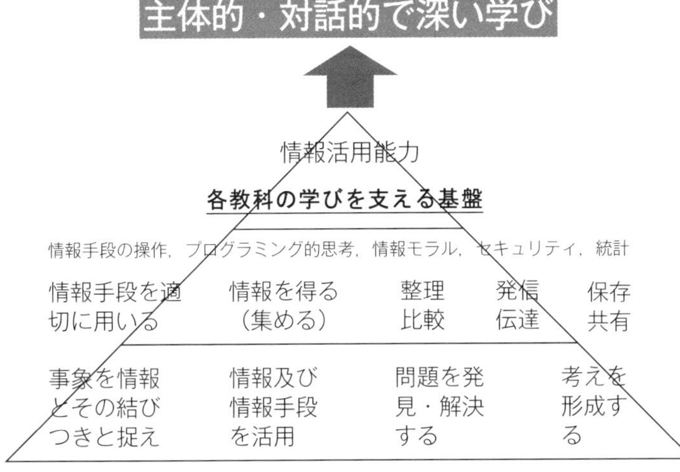

図１　学習の基盤になる情報活用能力

これらのことから，「主体的・対話的で深い学び」の実現に向けた授業改善を行う上で，情報活用能力を育成し，発揮させる授業を計画し，実施していくことが重要になるのです（図１）。

本書は「単元縦断型×教科横断型（授業)」を掲げていますが，その真髄は情報活用能力の育成と発揮です。さらに，情報活用能力を軸にした教科横断的学習が根本にあります。「単元縦断」と「教科横断」は相反するものであるかのように見えますが，実はこれらは表裏一体であり，それをつなぐ役割を情報活用能力が果たしています。

「単元縦断」「教科横断」「情報活用能力」という言葉の関係に着目しながら読み進めてください。これらの関係を理解し，教科横断的な視点で単元縦断型の教材研究を行うことにより「主体的・対話的で深い学び」につながる授業に辿り着けるはずです。

・教科横断的な学習過程の指導

今回の学習指導要領では各教科・領域で学習過程が重要視されています。学習指導要領の解説を参照すると，それぞれの教科の見方・考え方に沿った形で学習過程が示されています。

図２は，学習指導要領の解説を基にそれぞれの教科の学習過程を整理したものです。また，各教科・領域の学習過程を，情報活用能力を基に分類すると（情報教育の学習過程を「課題を持つ」「情報を集める」「情報を整理する」「情報をまとめる」「情報を伝える」として整理)，どの教科・領域にも，情報教育の学習過程が当てはまることがわかりました。つまり，情報教育の学習過程は教科横断的であり，全ての教科・領域に横断的に当てはまる過程なのです。

では，情報教育の学習過程を活用することの利点は何でしょうか。それは，子どもが学習する姿や学習方法が見えることです。例えば，理科の「観察・実験の実施」では，子どもが観察や実験をしながら情報を集めている姿が想像できます。また，どのように情報を集めるのかと考えれば，「観

総合（探究）	課題の設定		情報の収集	整理・分析	まとめ・表現	表現
音楽科			曲や演奏	曲想と音楽の構造との関わりを捉える	曲や歌唱，演奏にまとめる	歌唱，演奏し表現する
図画工作科	造形的なよさや美しさ，表したいこと，表し方	創造的な発想や構想	自分の感覚や行為	材料や用具を使い，表し方を工夫する	創造的につくったり表したりする	表現し理解する
体育科	運動や健康等に関する課題		運動実践，資料から情報を収集	課題を比較，分類，整理する	複数の解決方法を試し，妥当性を評価する	他者との対話
家庭科	生活の課題発見	解決方法の検討と計画	調理，創作に向けた情報収集	調理，創作に向け情報を整理する	調理，創作／実践結果の評価	結果の交流と改善策の検討
国語科　読むこと		内容と構造の把握	構造と内容の把握	調査・解釈	考えの形成	共有
国語科　書くこと		題材の設定	情報の収集	内容の検討／構成の検討	考えの形成／記述／推敲	共有
国語科　話し合うこと		話題の設定	情報の収集	内容の検討／話し合いの進め方の検討	考えの形成	共有
国語科　聞くこと		話題の設定	情報の収集／構造と内容の把握	調査・解釈	考えの形成／表現	共有
国語科　話すこと		話題の設定	情報の収集	内容の検討／構成の検討	考えの形成／表現	共有
社会科	学習問題を見出す	見通しをもつ	諸資料や調査活動で調べる	比較，分類，総合，関連付け	表現し理解する	表現し理解する
理科	問題の設定	予想，検証計画の立案	観察・実験の実施	結果の処理比較，関連付け，条件制御，多面的	考察	結論の導出
算数科	問題発見		数学的に表現した問題／焦点化した問題	数学的な処理統合・発展・体系化	自立的解決	協働的解決
情報活用能力	課題をもつ		情報を集める	情報を整理する	情報をまとめる	情報を伝える

図２　小学校学習指導要領（平成 29 年告示）解説を基に整理した各教科の学習

察する際には対象を詳しく見たり，触ったり，匂いを嗅いだり，ものさしなどで大きさを図ったりする」などの方法が浮かんできます。国語科「書くこと」の「考えの形成」「記述」「推敲」の過程では，その前の学習で整理した情報から自分の考え（主張）を作り出し，その主張を基に文章や新聞，リーフレットなどにまとめていく姿が想像できます。さらに，どのようにまとめるのかを考えれば，報告文や紹介文などの表現様式や，頭括型，尾括型，双括型といったまとめる方法をイメージすることができます。

もちろん，それぞれの教科で示された学習過程を基に教材研究を行うことが大切です。しかし，それに加えて情報教育の見方・考え方からその教科を見ることで，子どもがどのような方法で学習をするのかということが明確になるのです。

もう一つ，図２からわかる重要なことがあります。それは，どの教科・領域も単元を通した学習過程であることです。ここから考えられることは，教材研究を行う際は，単元が始まる前に，単元全体を見通した教材研究をしておく必要があるということです。そのような教材研究を行うことで，教科の見方・考え方に沿った学習過程で授業が展開されるとともに，情報教育の見方・考え方からどのような方法でどのように活動すればよいのかが明確になります。

子どもが見通しをもって学習を進めるためには，前述したことを教師が理解しているだけでは不十分です。特に，子どもが見通しをもって主体的に学習を進めるためには，子ども自身が学習過程を理解して学習を進めることが重要なのです。

単元縦断型授業では，ここで取り上げた「情報活用能力を育成・発揮する指導」「教科横断的な指導」を意識しながら単元縦断的に授業を考えていきます。次章では，具体的にどのように単元計画・授業計画を立てていくのかについて紹介します。

2章 単元縦断×教科横断

単元縦断型授業とは，単元に入る前に，単元計画を立てて授業を行うことです。学習指導案で言えば，単元の目標・評価規準，単元計画を考えることに当たります。「主体的・対話的で深い学び」の実現に向けた授業改善を実現するためには，単元縦断型で授業を行うことが必須です。なぜなら，「主体的・対話的で深い学び」は「子どもの学びの過程の中で一体として実現されるものであり，1単位時間の授業の中で全てが実現されるものではなく，単元や題材など内容や時間のまとまりを見通して」設定することが重要であるからです（「学習指導要領（平成29年告示）」第1章より）。

では，これらをどのように設定していけばよいのでしょうか。

本章では，その時必要になる2つの視点と，第1章で示した「主体的な学び」「対話的な学び」「深い学び」につながる学習活動を結びつけた教材研究ができるように，これらの視点を基盤にした学習パターンについて紹介します。

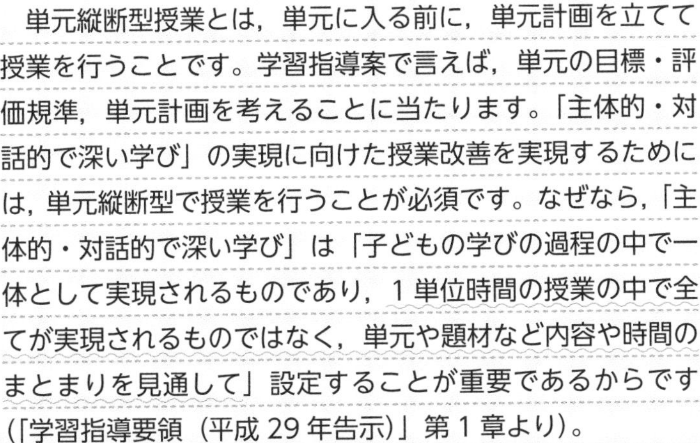

単元縦断型授業

「主体的・対話的で深い学び」を実現させるためには，以下の 2 つ視点を意識して単元・授業をつくる必要があります。

視点1：単元・題材が「問題を見出して解決策を考える場面」「知識を関連付ける場面」「情報を吟味し，考えをつくる場面」「新たな価値を創造し，伝える場面」の過程で授業が進むこと。

視点2：児童が「情報活用の計画を立てる力（以下計画力）」「情報を収集する力（収集力）」「情報を整理・比較する力（整理・比較力）」「情報を分析する力（分析力）」「情報を表現する力（表現力）」「情報を発信・伝達する力（発信・伝達力）」「情報を保存・共有する力（保存・共有力）」「情報活用について評価・改善する力（評価・改善力）」といった情報活用能力を育成・発揮する場面を設定すること。

（「小学校学習指導要領（平成 29 年告示）」より）

視点 1 は，子どもが主体的・対話的で深く学ぶために示された学習過程です。探究的な学びのプロセスをより具体的にし，すべての教科・領域で子どもが主体的・対話的で深い学びへ到達するように，発展させたものだと考えられます。以前から総合的な学習の時間で探究的な学びのプロセスとして「課題設定」「情報の収集」「整理・分析」「まとめ・表現」が示されています。主体的・対話的で深い学びを実現させるために，全ての教科・領域の授業をこれらの軸で考えていく必要があるのです。

視点 2 は，子どもが，主体的・対話的で深く学ぶことを充実させる上で身につけるべき情報活用能力です。子どもが情報活用能力を発揮させながら学習に取り組むことで，主体的・対話的で深い学びが促進されます。

子どもの活動（主体的・対話的で深い学びの過程）		課題設定		収集	整理・分析			まとめ・表現		
		①問いを見出す。	②解決策を考える。	③情報を収集する。	④情報を関連付ける。	⑤情報を吟味する。	⑥考えをつくる。	⑦新たな価値を創造する。	⑧創造した価値を発信する。	⑨単元の学習を振り返る。
活動を広げ深める能力（情報活用能力）	計画力		◎							
	収集力	○		◎						○
	整理・比較力	○	○	○	◎	○	○			
	分析力	○			○	◎	○			
	表現力						○	◎		
	発信・伝達力							○	◎	
	保存・共有力	○	○	○	○	○	○	○	○	
	評価・改善力			○	○	○	○	○	○	◎

図１　単元縦断型学習の基本パターン

図１は単元縦断型学習の基本パターンです。基本パターンをおさえておけば，どの教科・領域でも子どもの学びが「主体的・対話的で深い学び」につながる単元設計ができます。つまり，単元縦断型の基本パターンを教科横断的に活用できるということです。

基本パターンは，図１のように９つのステップに分かれています。これらのステップは探究のプロセスを細分化し，具体的にしたものです。それぞれのステップでは，子どもが発揮する情報活用能力が対応付けられています。◎は，そのステップの学習を行う際に必ず必要となる情報活用能力です。また，○は，その学習を行う際に，育成できる情報活用能力です。

これまでも，探究のプロセスは重要視されていましたが，全ての教科・

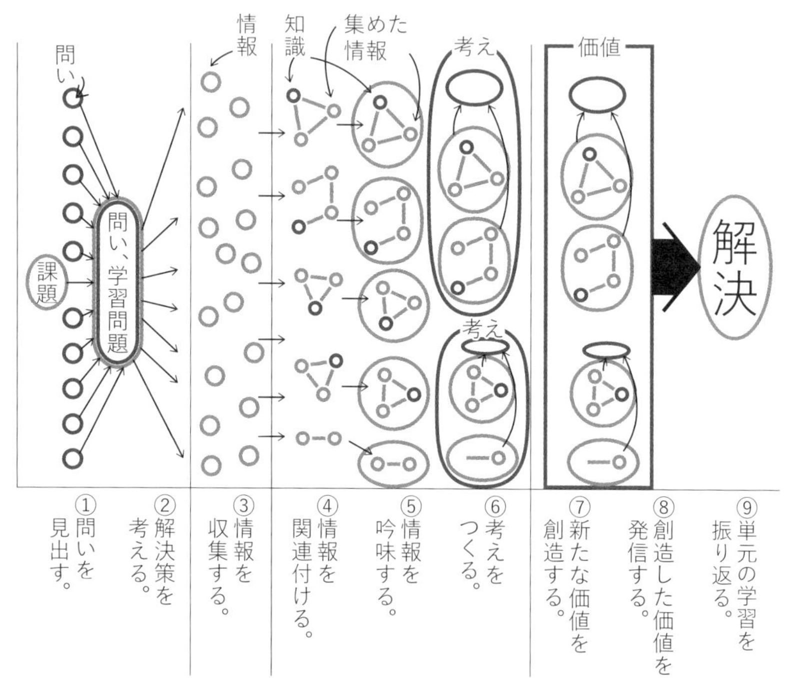

図２　子どもの頭の中で起こる情報活用のイメージ図

領域で汎用的に活用するには，それぞれのプロセスの学習活動が明確にされておらず，学習場面をイメージしにくい面がありました。しかし，プロセスを細分化し，情報活用能力と対応させたことで，子どもたちが行う活動や，その活動で発揮する情報活用能力が明確になったと考えています。

また，図２は，細分化された過程の中で子どもたちが情報や知識を関連づけ，問いを解決していく際に子どもたちの頭の中で起こる情報や知識の変化をイメージ化した図（情報活用の脳内変化イメージ図）です。

次からは，①〜⑨のステップについて，もう少し詳しく紹介していきます。

ステップ①

問いを見出す

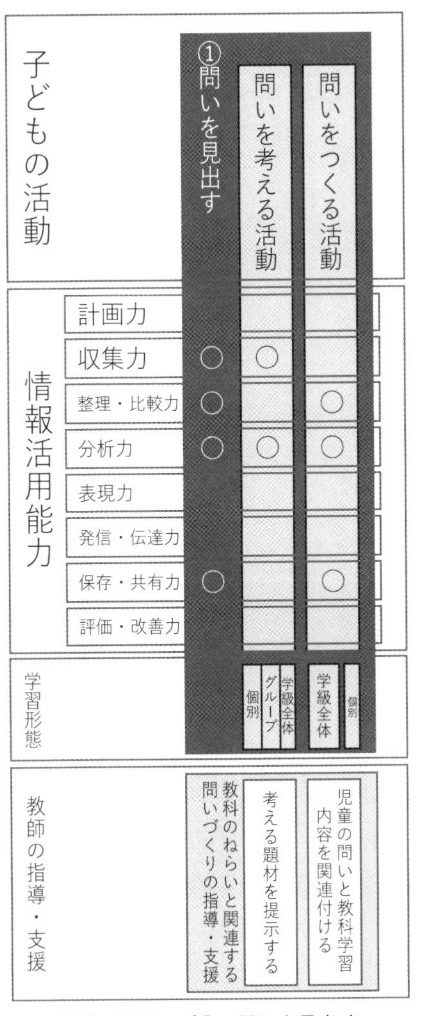

図3 ステップ① 問いを見出す

ステップ①は**「問いを見出す」**です。このステップは，探究のプロセスにおいては，「課題設定」に当たります。学習する単元についての興味・関心を高め，子どもが主体的・対話的で深く学ぶために必要な問いを見出します。このステップを進める上で子どもに育成できる情報活用能力は「収集力」「整理・比較力」「分析力」「保存・共有力」です。

◆学習活動と教師の指導・支援

［問いを考える活動］は，子どもが，「なぜだろう？」「どうしてなのだろう？」「いつだろう？」「何だろう？」など疑問に思うことを広げていく場面です。子どもがたくさんの問いを思いつくために，教師が実物や資料を提示したり，子どもの興味を引くような話をしたりするなどの指導・支援を行う必要があります。また，単元課題（単元の最後に，その単元で学習し，身につけた知識・技能を活用して解決する課題）を提示し，その課題を基に問いを考えることも効果的です。

［問いをつくる活動］は，子どもが考えたたくさんの問いから，その単元の学習内容に準じ，子どもが追究していきたいと思う問いをつくり出す

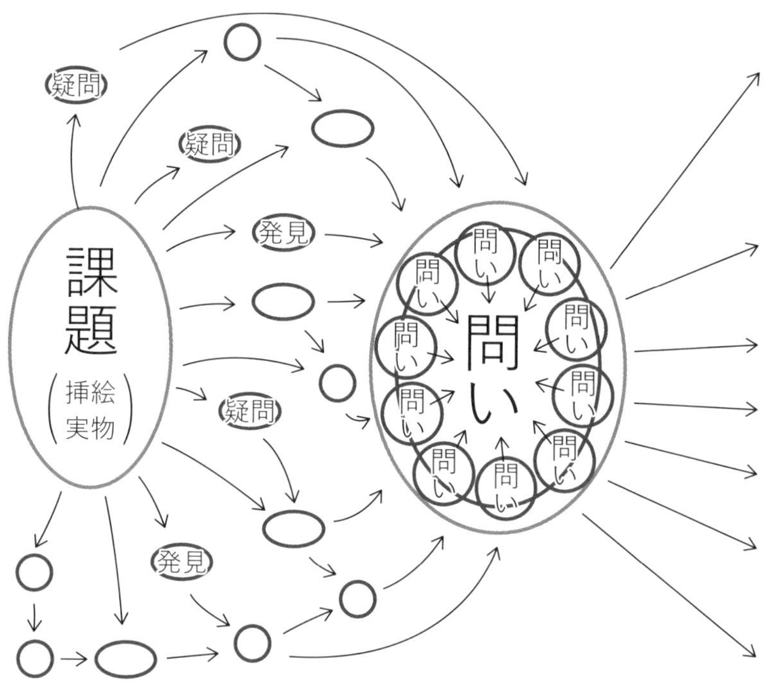

図４　課題から疑問を出し，問いをつくることについてのイメージ図

活動です。

子どもが問いをつくると，その単元の学習内容とズレることがあります。本来なら，問いについての追究活動を行うことで，単元の目標が達成される必要があります。子どもの考えた問いが，単元の学習内容からズレていたときは，すぐに指摘するのでなく，子どもが興味をもったことを認めた上で，今までに学習してきたその教科のねらい

【小学校６年生　社会科の単元課題の例】
あなたは，図書委員です。今回，小学生が日本の歴史について興味をもつような資料を作ることになりました。それぞれの資料には当時の人々のくらしの願いや，文化・生活，政治，出来事などが文章と図，絵，表を結びつけながら，筆者の考えとともにまとめられる必要があります。小学生が思わず見たくなり，歴史が好きになるような資料を作成してください。

や，これから取り組もうとしている単元のねらいから，その問いを追究することが，教科の学習を深めることにつながるのかを考えさせるとよいでしょう。

問いをつくる活動を個人で行う際は，まず，ノートなどに書いた問いを分類し，それぞれに分類名をつけます。分類ごとに教科のねらいや単元のねらいを達成することにつながる問いになっているかを Yes or No で検討します。その際に，子どもに教科・単元のねらいを伝えておいてもよいでしょう。そして，Yes と判断した問いからこの単元で追究すべき問いを選択し，解決したい順に優先順位をつけるとよいでしょう。

このような活動をすることで，重複している問いが見つかったり，複数の問いを同時に解決することができたりすることに気づくでしょう。また，グループや学級で行う際は，一人一人が追究したい問いを出し合い，どのようなことを追究したいのかを議論することが効果的です。

議論する際は，個人のときと同じように出し合った問いを分類し，グループ名をつけ，グループごとに問いを検討します。問いについて検討する際には，似ているものを結びつけて一つの問いをつくったり，すぐに解決できそうなものや，教科の学習内容に当てはまらないものを省いたりする議論になれば素晴らしいと思います。

◆育成・発揮される情報活用能力

［問いを考える活動］では情報活用能力の「収集力」が発揮されます。なぜなら，問いを考えるために提示された実物や資料，課題から情報を集めるからです。例えば，挿絵などを提示すれば，挿絵に描かれている人物や，風景などそこに描かれているものに気づきます。また，描かれている人物同士の関係を考えたりや，風景から状況を推測したりします。このように挿絵に掲載されている事柄の一つ一つについてじっくり見たり，考えたりすることが，子どもが「収集力」を発揮している状態といえます。

［問いをつくる活動］では「整理・比較力」「分析力」「保存・共有力」が育成されます。「整理・比較力」は考えた問いを分類する活動で育成されます。考えた問いを分類する活動は個人で行う際も，グループや学級全

体など集団で行う際も，似ている問いを集めて分類します。この活動を行うときに，子どもの頭の中で，問いと問いが比較されます。そして，比較された問いを分類することで整理・比較力が育成されるのです。

「分析力」は，問いが教科・単元のねらいからズレていないかを検討する活動で育成されます。教科・単元のねらいとのズレを考える際に，それぞれの問いの意味を深く考えます。意味を考える際に，対象を分解して理解しようとします。このように考えることで分析力が育成されるのです。

「保存・共有力」は，この活動でつくり出した問いをノートなどに記録することで育成されます。その際に，これらの問いについて調べ，解決することを見通してノートなどに記述しておくことが大切です。そのようなことを考えて記録することで「保存・共有力」が育成されるのです。

◆学習形態

［問いを考える活動］での学習形態は，「個別→（グループ）→学級全体」の流れで学習を進めることが効果的です。この活動で最も大切なことは，一人一人が追究したいと思う問いを考えることです。そのためには，個別で問いを考える時間を十分に確保することが重要です。個別で問いを考える際には，一人一人が様々な問いを考えることができるように，「なぜ」「どうして」「どのように」など問いにつながる言葉を子どもに提示することが効果的です。また，挿絵などを基に問いを考える際は，挿絵をワークシートなどに印刷して配付し，疑問に思った部分に書き込みながら考えるようにすることで，多くの問いを見出すことができるようになります。

個別に問いを考えた後は，グループや学級全体

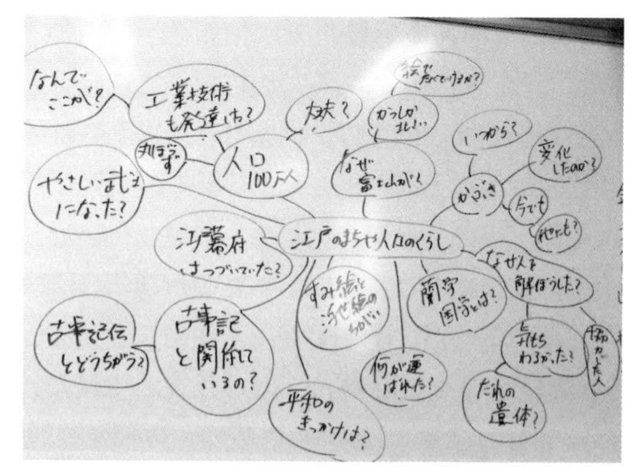

図５　学級全体で問いを交流するときの板書例

で考えた問いを交流します。他者と交流することで，問いが解決したり，新しい問いが生まれたりします。このように交流することにより，子どもの問いがさらに広がり，単元の学習に対する意欲を高めることに繋がります。

［問いをつくる活動］での学習形態は，学級全体で行うことが効果的です。他の児童の問いを聞くことで，どのような問いを追究していくことが良いのかということを考えることができます。このことから，個人が考えた問いを出し合い，出し合った問いが，単元を通して追究していく上でふさわしい問いであるのかということについて学級全体で議論する学習形態がこの活動にふさわしいと考えます。

◆この場面で効果を発揮するツール

［問いを考える活動］では，問いを考える支援として，情報学習支援ツール（「情報学習支援ツール」の詳細については第４章，もしくは『情報学習支援ツール』（2016，さくら社）を参照）に示されているシンキングルーチンの「See, Think, Wonder」が支援となります。「See, Think, Wonder」は詳しく見て疑問を導くためのルーチンです。

例えば挿絵から問いをつくる場合，まず，挿絵から，①見えるもの，気づいたことを書きます。そして，②そのことから考えたこと，思ったことを書き足します。最後に，③それらを基に疑問に思ったこと（問い）を書き足していくのです。

このルーチンを行う際は，「See」と「Think」と「Wonder」をイメージマップに整理していくことが効果的です（図 6）。このように書いていくことで，見えたこと，考えたこと，疑問に思ったことの関連が明確になったり，見えたことや考えたことをヒントに問いを考えたりすることができるからです。

また，**［問いを考える活動］**と**［問いをつくる活動］**を一度に行う際は，「Think, Puzzle, Explore（思いつくこと，わからないこと，調べること）」が効果的です。これは，問いをつくるためのルーチンです。

手順は，課題（提示された資料など）に対して①知っていることや思い

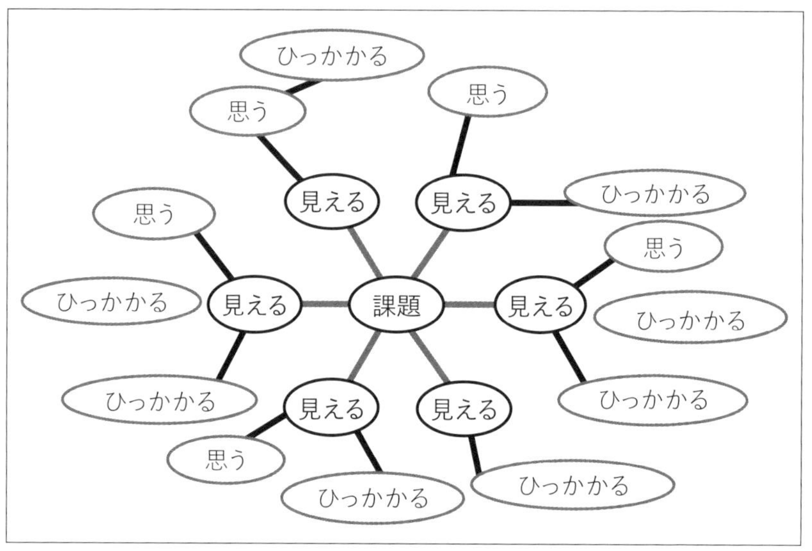

図6 「See, Think, Wonder」とイメージマップ

知っていること 思いつくこと	わからないこと 知りたいこと(問い)	調べること 調べる方法

図7 Think, Puzzle, Explore

つくことを書き出し，次に，②わからないこと，知りたいことを書きます。最後に，③調べること，調べる方法を書きます。

課題をもとにこのルーチンで考えることで，問いや問いを解決する方法を見出すことができます。また，このルーチンを行う際は，図７のような枠を配付すると，子どもたちは問いを見つけやすくなるでしょう。

ステップ②

解決策を考える

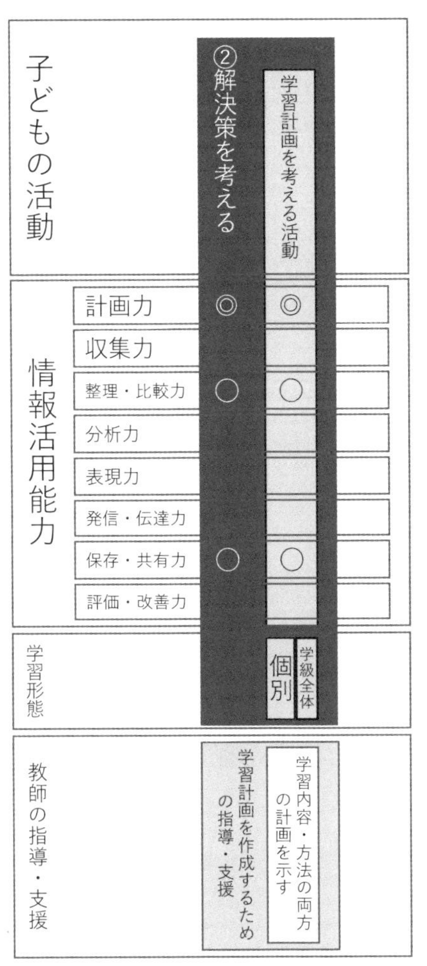

図8　ステップ②　解決策を考える

ステップ②は**「解決策を考える」**です。このステップも，探究のプロセスにおける「課題設定」に当たります。つくった問いを，どのような順序で，またどのような方法で解決していくのかについて考えるのがこのステップです。また，このステップで子どもが発揮する情報活用能力は「計画力」です。他にも，このステップでは「整理・比較力」「保存・共有力」が育成されます。

◆学習活動と教師の指導・支援

［学習計画を考える活動］では，ステップ①でつくった問いを基に，学習計画をつくります。このとき，子ども一人一人の学習計画と学級全体で共通理解された学習計画を作成します。

個人の学習計画を考える際には，考える視点として①単元の設定時間，②大まかな学習の流れ，③課題を解決することに繋がる学習方法を，提示する必要があります。子どもが学習計画を立てることに慣れていない状況で，これらのことを示さずに活動を行うと，子どもが困惑して，計画を立てることができなかったり，一人一人の計画がバラバラで共通項がないものになったりして，学級全体で学習することが困難になってしま

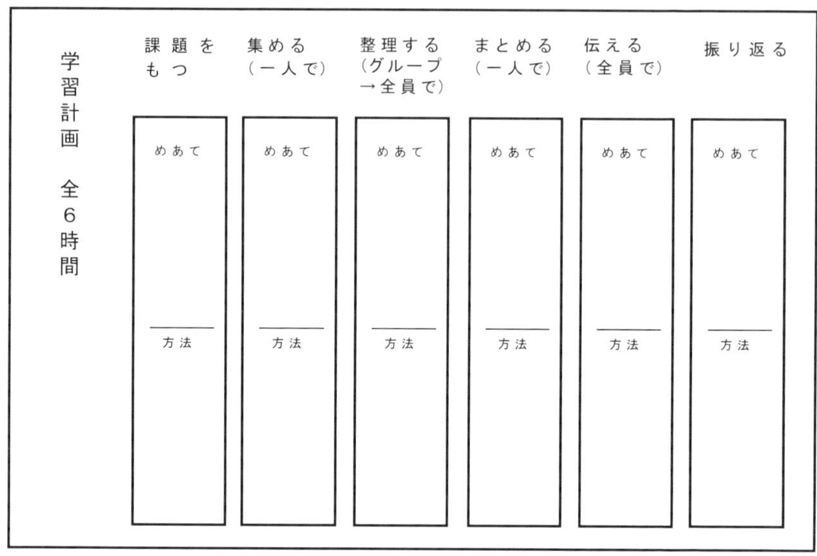

学習計画　全6時間

課題をもつ	集める（一人で）	整理する（グループ→全員で）	まとめる（一人で）	伝える（全員で）	振り返る
めあて	めあて	めあて	めあて	めあて	めあて
方法	方法	方法	方法	方法	方法

図９　学習計画を立てる際のワークシート例

います。①～③を示す際は，学習計画の見本を提示するか，図９のようなワークシートを配付することが効果的でしょう。

ワークシートをつくる際は，図９のように，「①単元の設定時間」を明記し，「②大まかな学習の流れ」として，それぞれの時間のめあてを書き込む枠と，情報教育の学習過程及び学習形態を示しておきます。また，「③課題を解決することに繋がる学習方法」を書き込むことができる枠もつくっておきましょう。

このようなワークシートで個別に計画を考えた後は，学級全体でどのように学習を進めるかを話し合う活動を行う必要があります。

学習計画を話し合う際，教師は子どもが話した学習の流れをきっちり板書して，学級全体で共通理解をすること

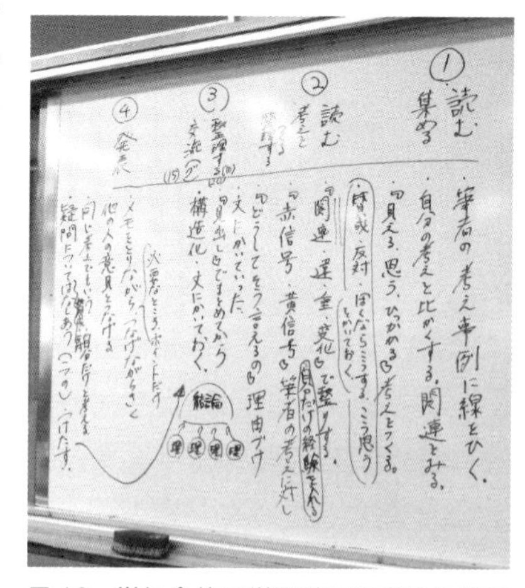

図10　学級全体で学習計画を考えた際の板書例

を心がけましょう。これらの活動を通して，子どもたち一人一人が，どのように学習を進めていくのかについての見通しをもてるようにすることが重要です。

◆育成・発揮される情報活用能力

［学習計画を考える活動］では情報活用能力の「計画力」が発揮されます。なぜなら，学習計画を考える際に，どのような方法で課題を解決していけばよいのかを考えるからです。例えば，情報を集める場面では，本で情報を集めるのか，インターネットで検索するのか，アンケートを取るのかといったように，様々な情報を集める方法の中から，最適な方法を選び，計画を立てていくわけです。このように，問いを解決するために，どのような方法で解決するのが最適かを考えて，学習方法を決定していくことが「計画力」を発揮している状態なのです。

また，**［学習計画を考える活動］**では，「整理・比較力」「保存・共有力」が育成されます。学習計画を考える際には，問いを比較し，どのような順序で解決していくかを整理する必要があります。そのような活動を通して，問いの「整理・比較力」が育成されたり，整理した学習計画をノートなどに記述したりすることにより「保存・共有力」が育成されるのです。

◆学習形態

［学習計画を考える活動］の学習形態は，「個別→学級全体」の流れで学習を進めることが効果的です。個別の活動で一人一人がどのように問いを追究していきたいかを考えることが，子どもが主体的に学習を進めていくことに繋がります。また，子どもたちが自分の計画を立てた上で，他者と交流することが効果的です。学級全体で学習計画を交流することで自分自身の計画を見直したり，修正したりすることができます。さらに，このように交流することで，学級全体で活動するタイミングを合わせることができます。

「個別→学級全体」の形態で学習計画を作成することにより，子ども自身が，いつ何をするのか，いつまでに何をしておく必要があるのかということを考え，実行しようとする意識を高めることにつながるのです。

◆この場面で効果を発揮するツール

［学習計画を考える活動］では，情報学習支援ツールの実践カードを配付するのが効果的です。実践カードは, 情報教育の学習過程「集める」「整理する」「まとめる」「伝える」と，それぞれの過程での具体的な学習活動（これらの活動を情報活動と示しています）が示されています。

子どもがカードを参照することで，情報教育の学習過程の中から，問いを解決する上で適切な情報活動を選択することができ，主体的に学習計画を立てることができるようになります。また，実践カードを使って情報活動を選択する際に，カードのチェック欄に印をつけていくと経験した活動と経験していない活動がひと目でわかるようなり，その後に計画を立てる際のヒントになります。

ステップ③

情報を収集する

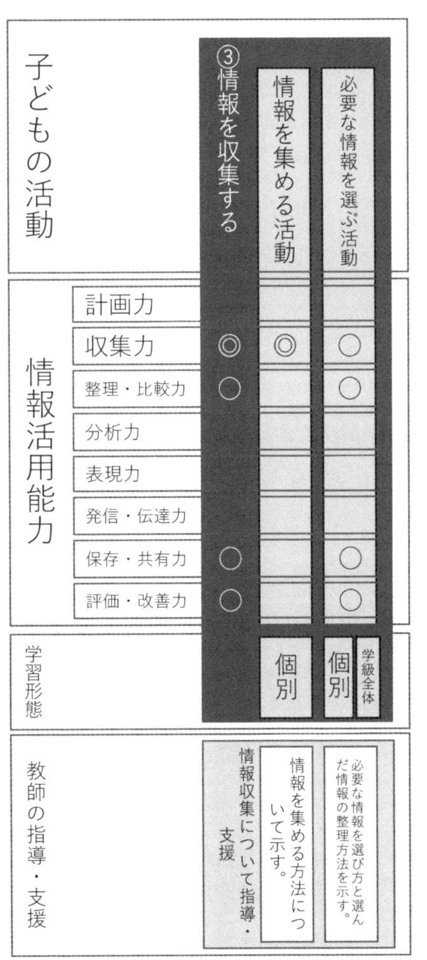

図11　ステップ③　情報を集める

ステップ③は**「情報を収集する」**です。このステップは，探究のプロセスにおける，「情報収集」にあたります。つくった問いを解決するために，様々な方法で**［情報を集める活動］**を行います。ここでは，書籍やインターネット，インタビューなどから，問いの解決に必要な情報を探します。必要な情報を探し，見つけた際は，その情報の「どの部分が必要で，どの部分が不要なのか」ということを考えます。このように考えることが**「必要な情報を選ぶ」**活動です。

これらの活動では，子どもが「収集力」を発揮して学習を進めます。また,同時に「整理･比較力」「保存･共有力」「評価・改善力」を育成することにもつながります。

◆学習活動と教師の指導・支援

［情報を集める活動］は，教科によって特性があります。

例えば，国語科では，情報の集め方を学ぶ単元があります。その単元を通して，教科書や書籍，インターネット，アンケート，インタビューなど情報を集める方法を身につけることを教科の目標として学んでいきます(これらの方法は実践カードに「情報活動」として網羅されています)。

社会科では，社会見学に行って実物を見たり，働いている人の話を聞いたり，実際にやってみたりするなど，実体験から情報を集めることを学びます。さらに，国語科と同じように教科書や資料集，その他の書籍，インターネットから情報を集めることもあります。理科では，観察や実験をして，実物や事象から情報を集めます。算数科では，グラフや表を読んだり，問題文から解決に至るための情報を集めます。

このように教科の見方・考え方によって情報を集める方法に特性があるのです。教師はこのような教科の特性を理解した上で，情報を集める活動を行う前に，それぞれの方法についての指導・支援を適切に行う必要があるのです。

［必要な情報を選ぶ活動］では，集めた情報から，問いの解決につながる情報を選びます。

他にも，理科の実験で考えると，実験結果をノートなどに記録します。記録した後に，問いの解決につながる情報は何かを考え，必要な情報を選ぶことがこの活動にあたります。

例えば，社会科で社会見学に行き，見学先の方の話を聞く場合はどうでしょうか。話を聞く際には，メモを取ります。メモを取る際は，興味深いこと，重要であると思うことを記録します。このことも［必要な情報を選ぶ活動］にあてはまります。さらに，見学から帰った後にメモを見直し，問いの解決につながる情報を選ぶ活動を行うことも，この活動にあてはまります。

このことから，［情報を集める活動］の後には必ず［必要な情報を選ぶ活動］を行うことがわかります。このことを子どもが理解すると，情報を集めながら，必要な情報を選ぶことができるようになります。

つまり，教師は**［情報を集める活動］**と集めた情報から**［必要な情報を選ぶ活動］**を区別して，指導・支援を行っていく必要があるのです。

◆育成・発揮される情報活用能力

ステップ③で子どもが発揮する情報活用能力は「収集力」です。

「収集力」とは，子どもが適切な方法で情報を，集める能力と，必要な情報を選択する能力のことです。子どもが「収集力」を発揮するためには，様々な情報を集める方法について理解していることと，集めた情報から，問いの解決に必要な情報を主体的に選択する力を身につけていることが重要です。「収集力」を身につけていることで，主体的に必要な情報を集めることができるのです。

　また，［必要な情報を選ぶ活動］において「整理・比較力」「保存・共有力」「評価・改善力」が育成されると考えます。

「整理・比較力」は，必要な情報を選ぶ際に，情報と情報を比較しながら，その情報が「必要か」「不要か」を選択する活動を通して育成されます。「保存・共有力」「評価・改善力」は，問いを解決するために，選んだ情報を友だちと共有したり，ノートやタブレットPCに保存したりする活動を通して育成されます。「評価・改善力」は，自分が集めた情報が問いを解決する上で十分な情報であったのかについて振り返る活動を通して育成されます。

◆学習形態

　ステップ③を行う際の学習形態は，個別での活動が中心になります。子どもが問いに対して主体的に追究するには，個別で活動する時間を十分に確保する必要があります。また，グループや学級全体で，集めた情報を交流する活動を入れることにより，子ども同士で情報を共有することができるため，問いの解決向けた対話的な情報収集につながると考えられます。

◆この場面で効果を発揮するツール

　ステップ③では，情報学習支援ツールの実践カードが効果を発揮します。カードを配付し，子どもに参照させることで，どのような情報を集める方法があったのかを思い出すことができます。また，必要な情報の選び方についても，実践カードにヒントが掲載されています。活動の前に，実践カードの「情報を集める領域」を参照するように助言をすることで，子どもが主体的に情報を収集しようとする姿につながっていきます。

　図12は，1年生を対象に作成した実践カードです。1年生の生活科では，

アサガオの観察を継続して行います。観察する際は，その都度，全体や部分の様子を詳しく観察するように指導したり，過去の様子と今の様子を比較させたり，触れた感触や匂いに気づかせたりするなど，観察の視点を示すことが重要です。これらのことを意識して，繰り返し観察することで，アサガオの成長に気づくのです。アサガオの観察の視点をわかりやすく子どもに伝えるための支援として実践カードの活用が有効です。実践カードを子どもに配付し，携帯させることで，子どもが観察の視点をいつも意識することができるようになり，主体的に観察をすることができるようになるのです。

このように，意識すべきことが常に手元にあることは，子どもの能力を高める上で効果的です。そのような点からも，様々な情報活動が整理された実践カードを，下敷きとして携帯することが子どもの情報活用能力を高めることにつながります。

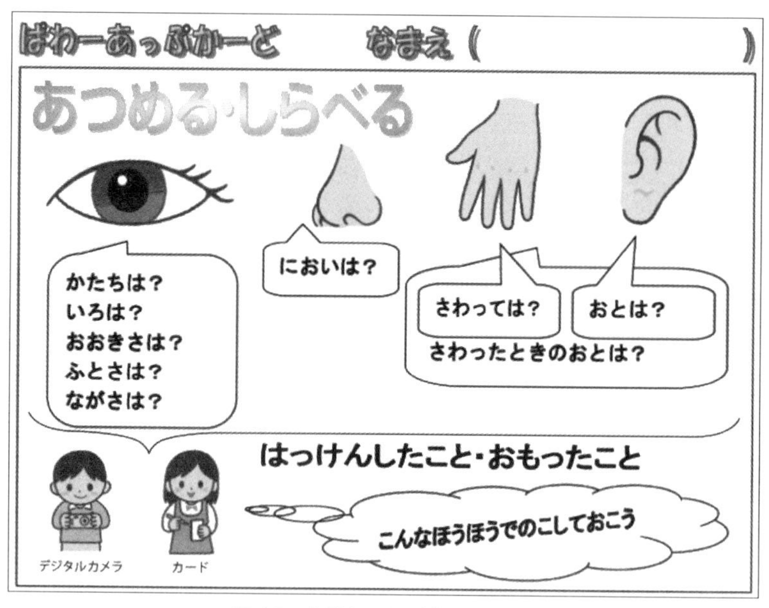

図 12　実践カード（導入カード）

ステップ④

情報を関連付ける

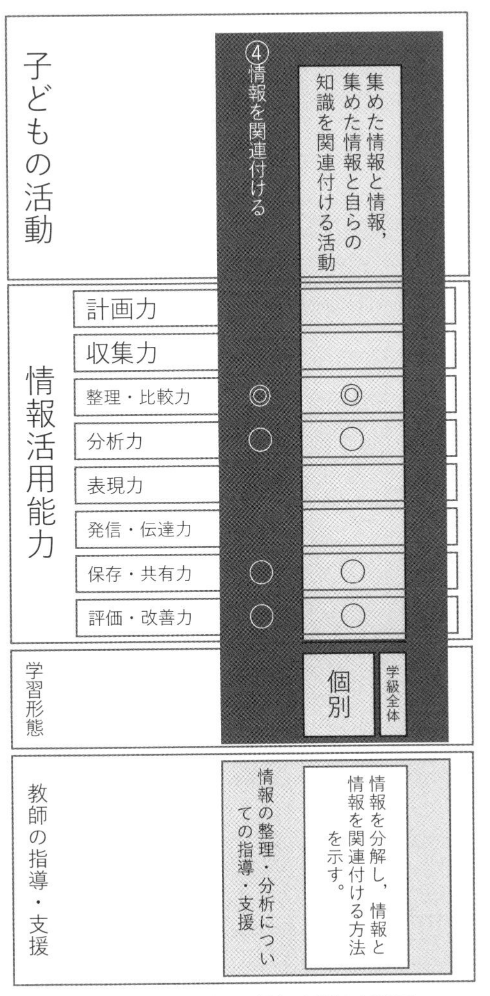

図 13　ステップ④　情報を関連付ける

ステップ④**「情報を関連付ける」**は，「整理・分析」のプロセスに当たります。ここでは，ステップ③で収集した情報と情報を関連付けます。この場面でいう情報とは，

1　ステップ③で収集した情報（書籍，インターネット，見学，実験などから集めた情報）
2　頭の中にある知識や思い（今までに習ったこと，経験したこと，思ったことなど）

です。

情報を関連付けるとは，「このことと，このことは一緒かなあ」「これは，これとつながるなあ」「このことから，この疑問が解決するかな」と考えていくことです。その際に1と1について考えると「集めた情報と情報」の関連を考える活動になります。1と2について考えると「集めた情報と自らの知識」の関連を考える活動になります。このステップでは，どちらの活動も重要であり，これらを同時に行っていくことで，課題に対する考えが深まっていくと考えられます。

◆学習活動と教師の指導・支援

ステップ④では，［**集めた情報と情報を関連付ける活動**］，［**集めた情報と自らの知識を関連付ける活動**］を行います。

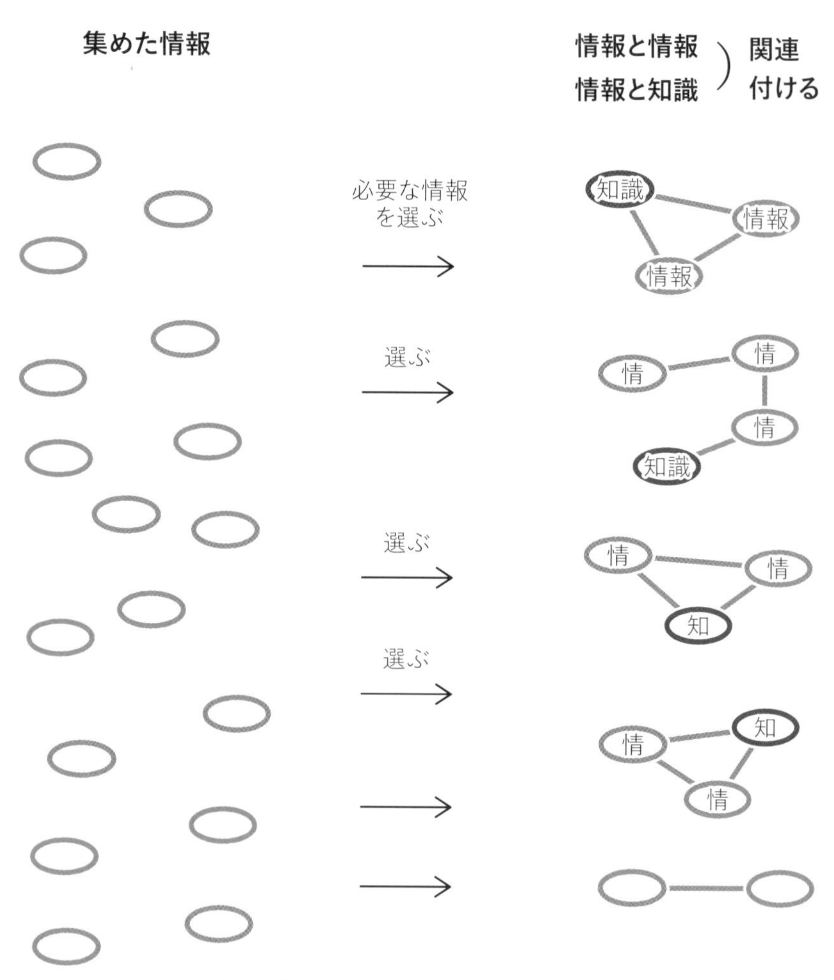

図 14　集めた情報を関連付ける際のイメージ図

ステップ③で，問いを解決する上で必要であると考えられる情報がノートなどに記録されています。記録されている情報を比較し，共通性のある情報をつなげたり，それらの情報と自らの知識をつなげたりするのがステップ④の活動です。これらの活動を行う際には，集めた情報をどのように関連付けるのかについての指導・支援を行う必要があります。これについてはシンキングツールやシンキングルーチンの指導が効果的です。

◆育成・発揮される情報活用能力

ステップ④で子どもが発揮するのは「整理・比較力」です。このステップでは，集めた情報と情報，集めた情報と自らの知識を比較し，共通性を見つけて整理していきます。その際に，そのような操作を，図や表，シンキングツールやシンキングルーチンなどを使って記述している状態が「整理・比較力」を発揮している状態です。

また，このステップでは，「分析力」「保存・共有力」「評価・改善力」が育成されます。「分析力」は，情報と情報を比較し，それぞれの情報が何についての情報であるのかを詳しく考えことで育成されます。「保存・共有力」は情報の関連を記述し，記述したものを見せながら他者と共有することで育成されます。「評価・改善力」は関連付けた情報が問いに対する答えに結びついているかを振り返ることで育成されます。

◆学習形態

ステップ④は，「個別・グループ→学級全体」の流れで実施します。個別に情報を関連付ける際は，ノートやタブレット PC を使って記述しながら情報を関連付けていきます。グループで情報を関連付ける際は，模造紙やホワイトボード，タブレット PC などで共同編集などを使い，それぞれが集めた情報を話し合いながら記述しながら関連付けていきます。

どちらの形態でも記述する際に，事実と考えは色を変えるなど区別して書き込むように指導することで，うまく情報を整理することができます。

このように，個別やグループで情報を関連付けた後に，記述したノートや模造紙などを提示しながら，どのように情報を関連付けたのかについて交流することで，他者との違いに気づき，自らの関連付け方について考えを深めることができるのです。

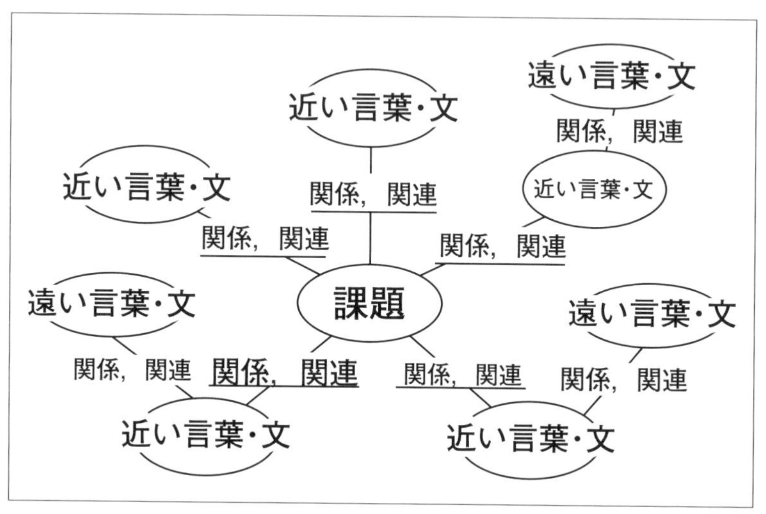

図 15　コンセプトマップ

◆この場面で効果を発揮するツール

情報を関連付ける際には，シンキングルーチンを活用することが効果的です。実践カードに考えを整理するためのルーチンとして「Concept Maps（コンセプトマップ）」(図 15) が例示されています。コンセプトマップは理解したこと (情報) を関連付けるためのルーチンです。中心に問い (課題) を置き，問いと関連する情報をその周りに書き，線でつないでいきます。また，線上にどのように関連付いているのかを記述します。この様に情報を関連付けていくことにより，情報と情報，情報と知識が結びつき，集めた情報に対する理解の高まりにつながっていくのです。

ステップ⑤

情報を吟味する

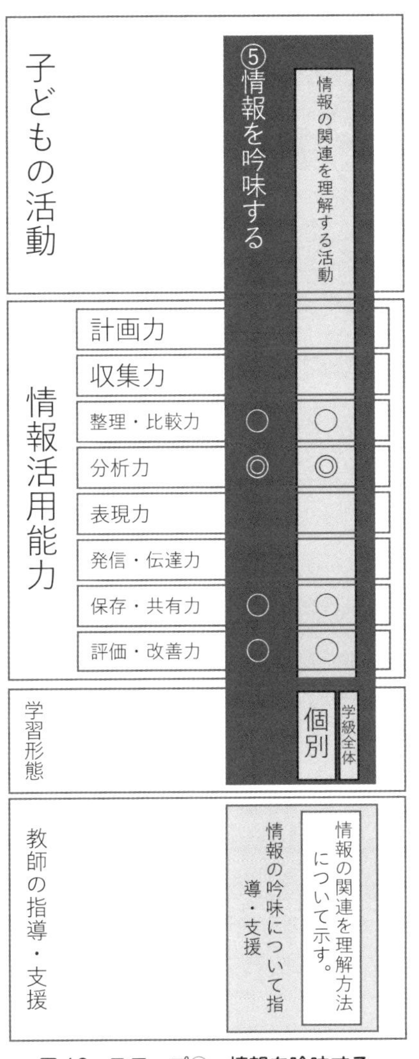

図16　ステップ⑤　情報を吟味する

ステップ⑤**「情報を吟味する」**は「整理・分析」のプロセスに当たります。

このステップでは，関連付けられた情報と情報のまとまりを明確にして，それらがどのような集まりなのかについての考えを深めていきます。この活動を通して，問いに対する答えが導き出されていくのです。

◆学習活動と教師の指導・支援

［情報の関連を理解する活動］では，ステップ④で関連付けた情報（図17　○）や知識（図17　○）をまとめ，分類します。

分類する際には，情報のまとまりをつくる必要があります。情報のまとまりをつくるには，一つ一つの情報と，それらの情報の結びつきについて考え，情報のまとまりごとに分類名をつけていきます。

分類名をつけることで，今後の活動でまとめた情報を効果的に活用することができます。さらに，情報のまとまりに分類名をつけようとすることで，まとまりを構成する情報やそれらの結びつきを改めて吟味（分析）することに繋がります。

〈情報を吟味する〉

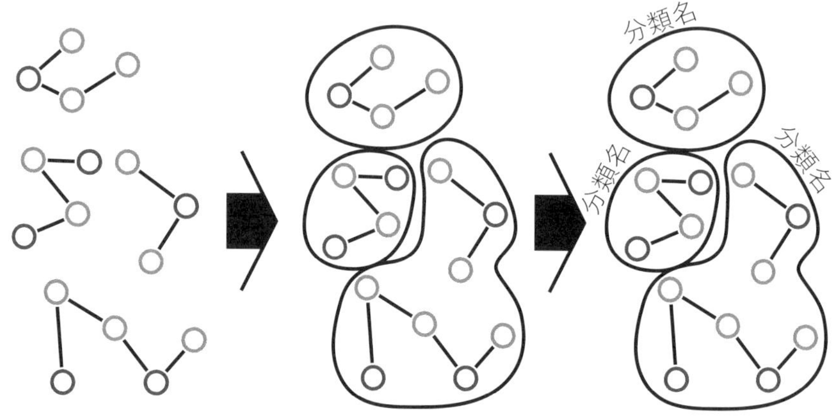

図 17　情報を吟味する際の情報と知識のイメージ図

このように情報と知識の関連を吟味していくことで，集めた情報に対する理解が深まり，それらが知識へと変化していくのです。

◆育成・発揮される情報活用能力

このステップで発揮される情報活用能力は「分析力」です。「分析力」は，一つ一つの情報や知識の意味を改めて問い直し，それぞれがどのような情報なのかを再確認し，情報と情報，また情報と知識がなぜ関連付くのか，また，それらがどのようなまとまりなのかを考えるときに発揮されるのです。

このステップでは他にも「整理・比較力」「保存・共有力」「評価・改善力」が育成されます。「整理・比較力」は情報の関連を理解する上で，関連付いた情報と情報を比べることで育成されます。「保存・共有力」は，分類した情報をノートなどに記録し，他者と共有したりすることで育成されます。「評価・改善力」は，情報を分析する活動について振り返ったりする活動で育成されます。

◆学習形態

ステップ⑤では，「個別→グループ・学級全体」の形態で授業を進めます。

まず，個別での活動では，情報や知識の関連を吟味し，分類名をつけます。次に，グループや学級全体でそのように分類した理由を交流します。

分類した理由を交流することにより，どのように情報や知識の関連を分析したのかについて説明しなければなりません。したがって，分類した理由を交流する活動を通して一人一人が今までの活動で得た情報や知識の関連を吟味し，理解を深めることにつながるのです。

また，個別での活動が難しい場合は，分類名をつける活動をグループで実施することも考えられます。その際は，ステップ④と同じように，模造紙やホワイトボードに関連づいた情報や知識を書き込み，それを見ながらグループで話し合いながら分類名をつけていくことが効果的です。

◆この場面で効果を発揮するツール

ステップ⑤では，ステップ④を引き継ぎ，コンセプトマップを書き終わった後に，情報のまとまりを俯瞰し，関連する情報を線で囲み分類していく方法が効果的です。また，線で囲まれた情報や知識のつながりを見直し，分類名を記述していくことで，情報の関連についての理解を深めることができます。

情報の関連を理解する上では，シンキングツールの熊手チャートを活用することも効果的です。

図 18 は，情報を分類する際の熊手チャートの記述例です。このように関連する情報を右側に置いていくことで，情報と情報，情報と知識の共通性が見つけやすくなり，分類名を考えやすくなります。

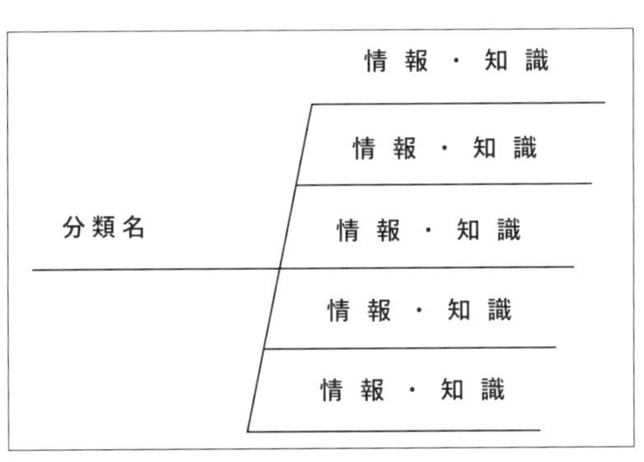

図 18　分類する際の熊手チャートの活用方法

ステップ⑥

考えをつくる

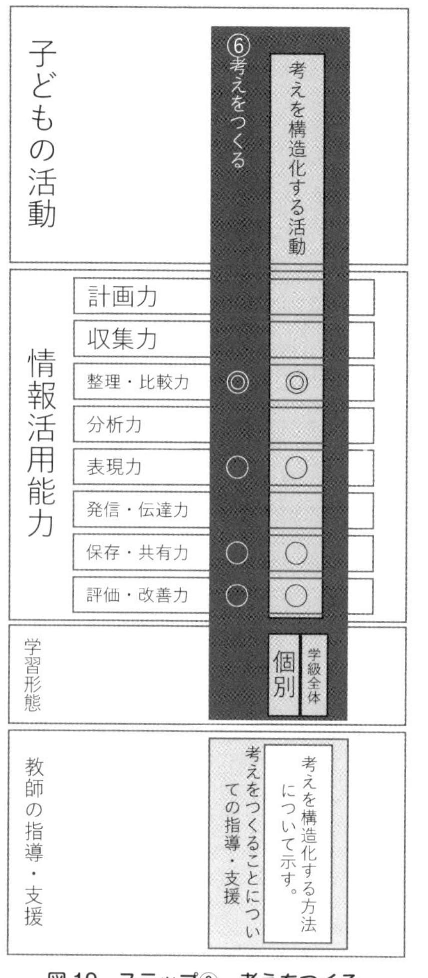

図19　ステップ⑥　考えをつくる

ステップ⑥**「考えをつくる」**は,「整理・分析」のプロセスの最後です。ステップ⑥では，ステップ⑤で吟味した情報を使って，考えをつくっていきます。考えをつくる上で，情報と情報，情報と知識を組み合わせていく必要があります。このことを「構造化する」といいます。このステップで情報をしっかりと構造化させておくことで，主張や根拠が明確になり，次のステップで新たな価値を創造しやすくなります。

◆学習活動と教師の指導・支援

ステップ⑥では，吟味した情報を基に考えをつくります。ここでいう考えとは，主張に対して根拠や理由（情報や知識）がしっかりと示されているものを指します。このような考えをつくっていくためには，今までのステップで吟味された情報・知識を組み合わせ，自らの主張を明確にする必要があります。

吟味した情報を組み合わせ,主張を明確にすることを「構造化」といい，新しい価値を創造するための設計図となります。例えば，読書感想文を書く際に，本を読んでいきなり原稿用紙に書いた結果，「はじめに」の部分を書きすぎたり，あらすじばかりを書いてしまい，筆者の思いや自分の考えを書けなかったりしたことはないでしょうか。子どもはこのようなことをきっかけに文章を書くことに苦手意識をもつようになります。子どもが文章を書くことに対して苦手意識をもたないようにするためにも，新しい価値（文章を書くなど）を創造する前に，考えを構造化しておくことが大切なのです。

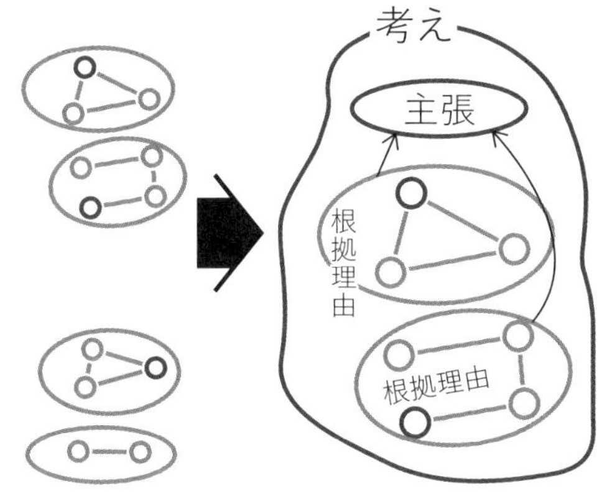

図 20　情報を構造化することのについてのイメージ図

◆育成・発揮される情報活用能力

ステップ⑥で，子どもが発揮する情報活用能力は「整理･比較力」です。なぜなら考えを構造化することは情報を整理する活動だからです。

また,［**考えを構造化する活動**］を通して,「保存･共有力」「評価･改善力」が育成されます。「保存・共有力」は，構造化した考えをノートなどに記述することで育成されます。また，それらを他者に見せながら，自らの考えを伝えることでも育成されます。「評価・改善力」は，構造化したものを他者と交流した後に，振り返ることにより育成されます。

◆学習形態

ステップ⑥は，「個別→グループ活動・学級全体」での学習が最も効果的です。

はじめに個別で活動を進めるのは，このステップが自らの考えをつくるステップだからです。個別に，ステップ⑤で吟味した情報を振り返り，一人一人が「どう考えたのか」「何が言いたいのか」をはっきりさせることで，自分なりの新しい価値を創造することができます。

ここでは，個別で考えをつくった後にグループや学級全体で，つくった考えを交流しましょう。交流する際は，友だちの考えと自分の考えを比較しながら聞き，友だちは「なぜそう思ったのか」「どうしてそう考えたのか」ということを考える活動を行ってから交流活動に入るようにしましょう。このように交流することで，自分の考えを改めて見直すことに繋がります。

◆この場面で効果を発揮するツール

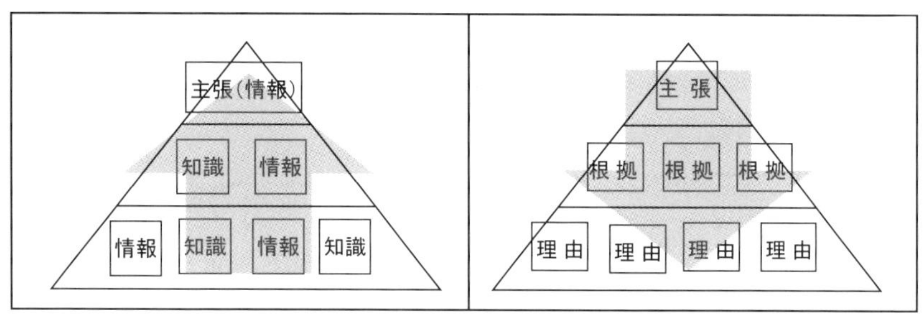

図21　ピラミッドチャートの記述例

情報を構造化する際には，シンキングツールのピラミッドチャートやフィッシュボーン図が効果的です。

図21はピラミッドチャートの記述例です。左側は，吟味した情報の中から，主張につながる情報を見つける際に効果的です。ピラミッドの下の段に吟味した情報や知識を置き，それらを比較して，自らの主張につながるものを上げていくのです。右側は，主張に対する根拠や理由を置き，考えを組み立てる際に効果的です。根拠とは，書籍やインターネットから集めた情報（他者からの情報）です。また，理由は，自分の考えや思ったこと（自分からの情報）です。このように事実と考えを分けて記述することで，自分の考えが形成されていくのです。

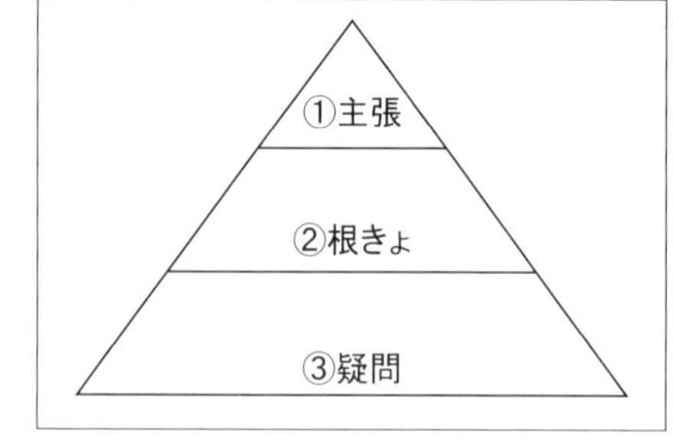

図22　主張・根拠・疑問のルーチン

また，シンキングルーチンでは「主張・根拠・疑問」が構造化する上で効果的です。

このルーチンは，まず，主張を決

め，次に主張の根拠になる事実を2段目に書きこんでいきます。最後に主張，根拠について疑問に思うことを書きます。このルーチンで示されている根拠も，上記と同じように他者からの情報を示しています。そして疑問が，自分からの情報を示しています。なぜ，最後に疑問を考えるのかについては，つくりだした考えを批判的に見て再検討するためです。

その他のシンキングルーチンとして，考えに対する理由を導くためには「どうしてそう言えるの」が効果的です。図23のようにクラゲチャートの上部に考えを書き，「どうしてそう言えるのか」と問いながら，下部に理由を考え書き込んでいきます。このような問いかけを繰り返すことで，考えに対する理由が明確になり，これらを組み合わせて，考えをつくりだすことができるのです。

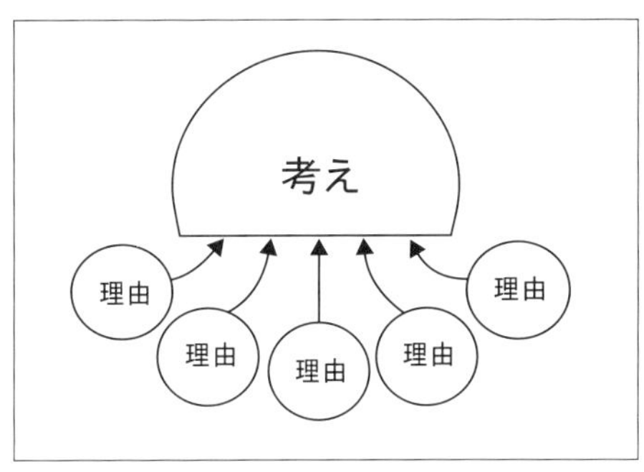

図23 「どうしてそう言えるの」のルーチン

ステップ⑦

新たな価値を創造する

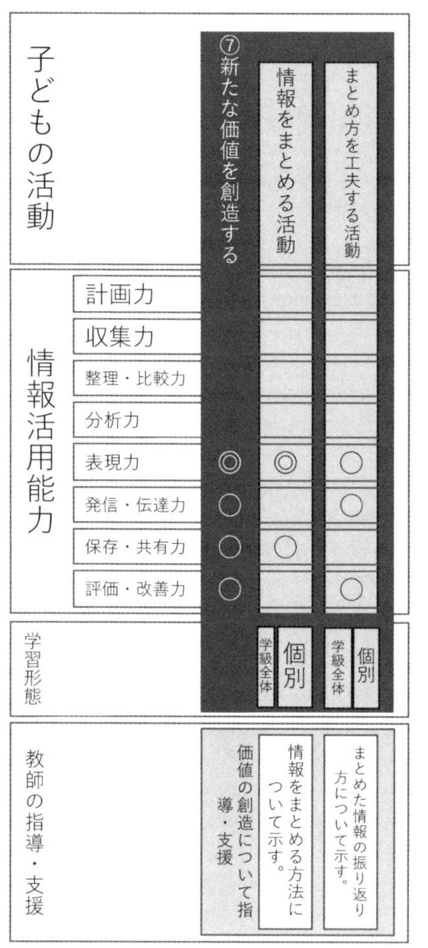

図24　ステップ⑦　新たな価値を創造する

ステップ⑦**「新たな価値を創造する」**は，「まとめ・表現」のプロセスにあたります。

ここでは，構造化された情報（考え）を基に，新たな価値を創造していきます。新たな価値とは，これまでの活動で，子どもがつくり出した考えを何らかの形でまとめたものです。

「まとめる」とは，整理することと似ているように思いがちですが違います。「整理する」は自分が理解するために行う行為であり,「まとめる」は自分の考えたことを他者にわかるように表現する行為です。したがって新たな価値の創造とは，子どもがつくり出した考えを他の人がわかるように文章や図，表などを組み合わせて表現していくことなのです。

◆学習活動と教師の指導・支援

ステップ⑦では，**［情報をまとめる活動］**と，**［まとめ方を工夫する活動］**があります。

［情報をまとめる活動］は，構造化された情報（考え）を基に，文章を書いたり，新聞をつくったり，プレゼンテーション資料にまとめたりする活動です。**［まとめ方を工夫する活動］**では，まとめた情報が受け手に対

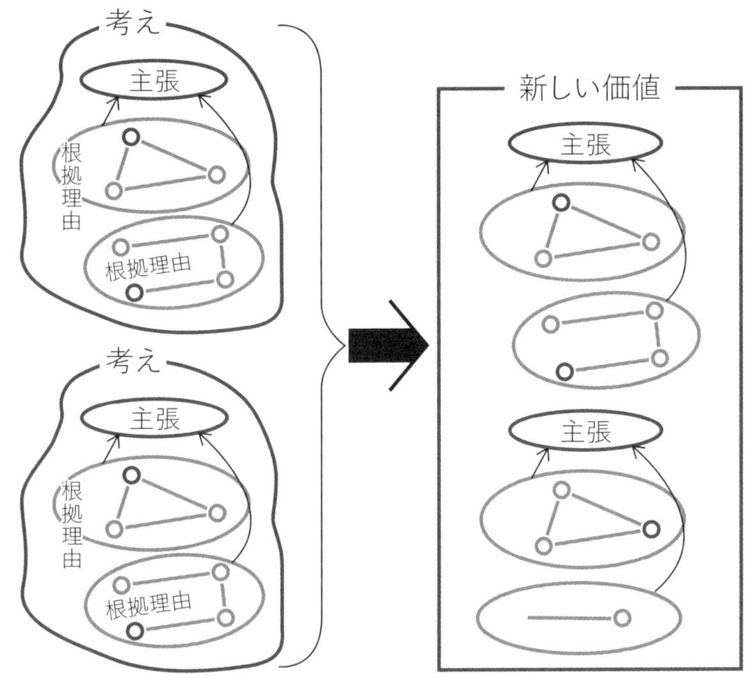

図 25　新たな価値をつくりだすことのイメージ図

してわかりやすくまとめられているかを検討します（図 25）。これらの活動が主体的に行われるために，様々な情報のまとめ方や，わかりやすい表現の仕方について，指導・支援を行う必要があります。

◆育成・発揮される情報活用能力

ステップ⑦で発揮される情報活用能力は「表現力」です。構造化された情報をまとめる上で，情報のまとめ方（文書資料，プレゼンテーション資料，パンフレット，ポスターなど）を選択したり，わかりやすくまとめるための工夫（文字の強調，テーマごとに分類，矢印や印をつけた焦点化など）をしたりして表現していく力が「表現力」です。

また，情報をまとめる活動を通して「保存・共有力」「評価・改善力」が育成されます。「保存・共有力」は，紙やコンピュータなどで資料を作成することで育成されます。「評価・改善力」は，まとめた情報を他者と共有することで，他者の資料を評価したり，自分の資料を振り返り改善したりすることで育成されます。

◆学習形態

ステップ⑦は，「学級全体→個別・グループ」での学習が効果的です。

まず，情報をまとめる方法やわかりやすくまとめるための工夫を学級全体で確認します。低・中学年は学級でまとめる方法を揃えることが多いです。その場合，選択したまとめる方法（新聞，文書資料など）のポイントを指導してから，活動に取り組む必要があります。

高学年になると，子どもが情報をまとめる方法を選択して，一人一人が異なった方法で活動を進めることができるようになります。その際にも，それぞれのまとめる方法のポイントを学級全体で確認してから，活動に取り組むことが重要です。

学級全体でまとめ方の確認をした後は，個別やグループでまとめる活動や，まとめ方を工夫する活動を行っていきます。

◆この場面で効果を発揮するツール

ステップ⑦では，情報学習支援ツールの実践カードの「情報をまとめるためのスキル」が役立ちます。「情報をまとめるためのスキル」には，「情報をまとめる方法」「情報のまとめ方」「わかりやすく，伝わりやすくまとめる」方法が挙げられています。

図 26 は，6 年生の実践カードの「情報をまとめるためのスキル」です。

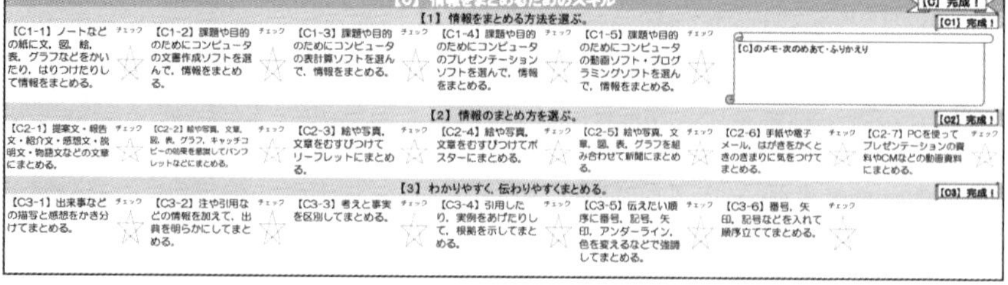

【C】情報をまとめるためのスキル　【C】完成！

【1】情報をまとめる方法を選ぶ。　【C1】完成！

- 【C1-1】ノートなどの紙に文，図，絵，表，グラフなどをかいたり，はりつけたりして情報をまとめる。　チェック
- 【C1-2】課題や目的のためにコンピュータの文書作成ソフトを選んで，情報をまとめる。　チェック
- 【C1-3】課題や目的のためにコンピュータの表計算ソフトを選んで，情報をまとめる。　チェック
- 【C1-4】課題や目的のためにコンピュータのプレゼンテーションソフトを選んで，情報をまとめる。　チェック
- 【C1-5】課題や目的のためにコンピュータの動画ソフト・プログラミングソフトを選んで，情報をまとめる。　チェック

【C】のメモ・次のめあて・ふりかえり

【2】情報のまとめ方を選ぶ。　【C2】完成！

- 【C2-1】提案文・報告文・紹介文・感想文・説明文・物語文などの文章にまとめる。　チェック
- 【C2-2】絵や写真，文章，図，表，グラフ，キャッチコピーの効果を意識してパンフレットなどにまとめる。　チェック
- 【C2-3】絵や写真，文章をむすびつけてリーフレットにまとめる。　チェック
- 【C2-4】絵や写真，文章をむすびつけてポスターにまとめる。　チェック
- 【C2-5】絵や写真，文章，図，表，グラフを組み合わせて新聞にまとめる。　チェック
- 【C2-6】手紙や電子メール，はがきをかくときの決まりに気をつけてまとめる。　チェック
- 【C2-7】PCを使ってプレゼンテーションの資料やCMなどの動画資料にまとめる。　チェック

【3】わかりやすく，伝わりやすくまとめる。　【C3】完成！

- 【C3-1】出来事などの描写と感想をかき分けてまとめる。　チェック
- 【C3-2】注や引用などの情報を加えて，出典を明らかにしてまとめる。　チェック
- 【C3-3】考えと事実を区別してまとめる。　チェック
- 【C3-4】引用したり，実例をあげたりして，根拠を示してまとめる。　チェック
- 【C3-5】伝えたい順序に番号，記号，矢印，アンダーライン，色を変えるなどで強調してまとめる。　チェック
- 【C3-6】番号，矢印，記号などを入れて順序立ててまとめる。　チェック

図 26　受け手を意識して情報をまとめる視点

「【1】情報をまとめる方法を選ぶ」で，ノートやコンピュータのアプリケーション，「【2】情報のまとめ方を選ぶ」で文章の形態や，ポスターやリーフレットなどが示されています。子どもがこの領域を参照することで，適切な情報のまとめ方を選択することができます。また，「【3】わかりやすく，伝わりやすくまとめる」では，情報をまとめるときに注意すべきことが掲載されています。

子どもが情報をまとめているときや，まとめ終わったときにこれらのポイントをチェックすることで，相手意識をもって資料（作品）をわかりやすくまとめることができます。

ステップ⑧

創造した価値を発信・伝達する

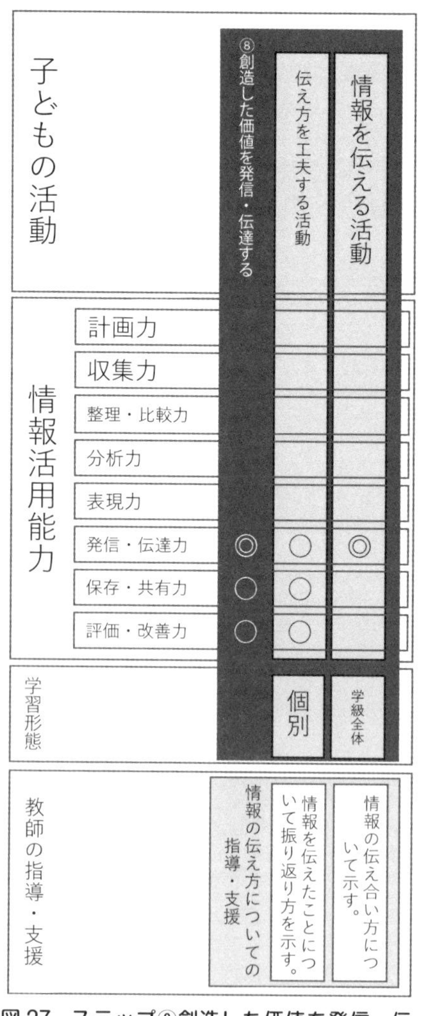

図 27　ステップ⑧創造した価値を発信・伝達する

ステップ⑧「**創造した価値を発信・伝達する**」は，「まとめ・表現」のプロセスに当たります。ここでは，ステップ⑦でまとめた情報を，新しい価値として，他者に伝えます。

情報を他者に伝える方法として，話をして伝える場合と記述したものを読み合って伝える方法があります。このステップでは，つくり出した価値を効果的に伝える方法を選択したり，どのように伝えれば受け手に伝わるのかを工夫して，情報を伝えます。

◆学習活動と教師の指導・支援

ステップ⑧では，［**伝え方を工夫する活動**］を行った後に，［**情報を伝える活動**］を行います。

［**伝え方を工夫する活動**］では，ステップ⑦でまとめた情報を基に，伝える練習をします。練習では，新たな価値を他者にわかりやすく伝えるために，抑揚をつけてスピーチをしたり，身振り手振りを入れて重要な部分を強調したり，提示する物がある際は，重要な部分を指し示したりするなど，わかりやすく伝えるための工夫を考え，それらがうまくできるように練習をするのです。このような活動を行う際には，わかりやすく情

報を伝える方法に対する指導・支援が必要です。

［情報を伝える活動］では，情報を受け取る側の子どもに対する支援も必要です。受け取る側の子どもが，他者の情報を集中して受け取る（聞く）ことができるよう，発表を聞く視点や，視点が示されたワークシートを配付することが効果的でしょう。

◆育成・発揮される情報活用能力

ステップ⑧で発揮される情報活用能力は「発信・伝達力」です。

「発信・伝達力」とは，受け手の状況を考え，反応などを見ながら情報を伝えていくことです。ただ一方的に話したり，提示したり（書き込む）するのではなく，受け手が理解したかを確かめながら伝える力が「発信・伝達力」です。

ここでは，子どもがつくりだした新しい価値を，話したり提示したり（書き込む）しながら伝えることで「発信・伝達力」が発揮されます。

また，情報の伝え方を考えたり，伝えたりする活動を通して「保存・共有力」「評価・改善力」が育成されます。「保存・共有力」は，情報を発信し，お互いの情報を共有することで育成されます。「評価・改善力」は，発信した情報や発信された他者の情報を受け取ることで，自分の情報の伝え方について自己評価して改善したり，他者の発表から学び，自分の伝え方に活かしたりすることで育成されます。

◆学習形態

ステップ⑧の学習形態のうち，**［伝え方を工夫する活動］**は個別かグループで行い，**［情報を伝える活動］**は学級全体で行うことが効果的です。

［伝え方を工夫する活動］では，自分の伝え方は受け手にとってわかりやすい伝え方になっているのかということを考えながら練習します。そのときに一人一人が自分の伝え方を評価しながら練習をしていく必要があります。また，伝え方を他者に見てもらい，改善点を明確にして練習をすることも効果的です。練習を積み重ねる際は個別に活動することが効果的でしょう。なぜなら自らの伝え方と向き合い，納得の行くまで練習を繰り返

し行うことが，伝える力を高めるからです。

［情報を伝える活動］は，学級全体で行う必要があります。活動の形態は，一人が全員の前で伝えたり，グループで伝え合ったり，相手を見つけて一対一で伝えたりと様々な方法が考えられます。子どもがつくり上げた新しい価値を，学級全体で楽しく交流できる形態を子どもの実態に合わせて選択してください。

◆この場面で効果を発揮するツール

ステップ⑧では，**［伝え方を工夫する活動］**で，情報学習支援ツールの実践カードが活用できます。

実践カードの「情報を伝えるためのスキル」には「【1】伝える方法を選ぶ」「【2】聞いている人にわかりやすく伝える」「【3】聞いたことや書かれたものを見て伝え合う」という項目があります。

［伝え方を工夫する活動］では【1】から適切な伝え方を選択し，【2】に示されていることを意識しながら練習をすることが効果的です。さらに，プレゼンテーション資料を提示しながら伝える際は，「プレゼンテーションチェックカード（PTC：第4章に掲載）」を配付することにより，伝える内容，伝える方法，スライド資料について細かくチェックすることができるため，子どもが主体的に伝え方を工夫することができます。

［情報を伝える活動］では，情報を受け取る子どもに対して，発表を興味深く聞くことができるように支援をする必要があります。その際にシンキングルーチンの「シグナル（赤信号・黄信号）」が効果的です。

「シグナル（赤信号・黄信号）」は，読んだことや見たこと，聞いたこと

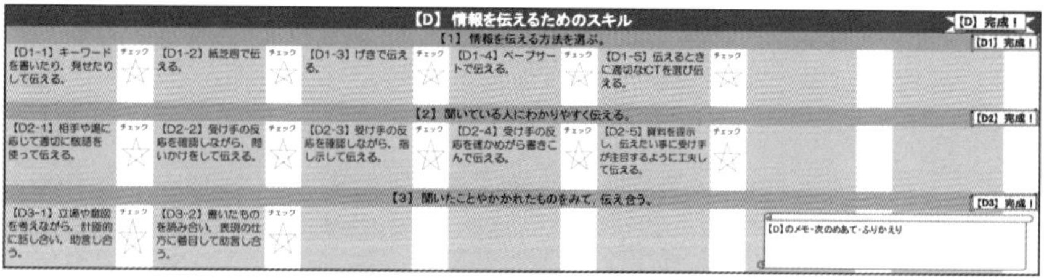

【D】情報を伝えるためのスキル					【D】完成！
【1】情報を伝える方法を選ぶ。					【D1】完成！
【D1-1】キーワードを書いたり，見せたりして伝える。 チェック	【D1-2】紙芝居で伝える。 チェック	【D1-3】げきで伝える。 チェック	【D1-4】ペープサートで伝える。 チェック	【D1-5】伝えるときに適切なICTを選び伝える。 チェック	
【2】聞いている人にわかりやすく伝える。					【D2】完成！
【D2-1】相手や場に応じて適切に敬語を使って伝える。 チェック	【D2-2】受け手の反応を確認しながら，問いかけをして伝える。 チェック	【D2-3】受け手の反応を確認しながら，指し示して伝える。 チェック	【D2-4】受け手の反応を確かめがら書きこんで伝える。 チェック	【D2-5】資料を提示し，伝えたい事に受け手が注目するように工夫して伝える。 チェック	
【3】聞いたことやかかれたものをみて，伝え合う。					【D3】完成！
【D3-1】立場や意図を考えながら，計画的に話し合い，助言し合う。 チェック	【D3-2】書いたものを読み合い，表現の仕方に着目して助言し合う。 チェック			【D】のメモ・次のめあて・ふりかえり	

図28　実践カード6年　伝える領域

を批判的に考えるためのルーチンです。

批判的と言っても相手の意見をただ一方的に非難するわけではありません。

赤信号	黄信号	青信号

図 29　シグナル（赤信号・黄信号）の例

「シグナル（赤信号・黄信号)」では，赤信号（本当にそう言えるのかと思うこと／何度も練習の必要がある)，黄信号（質問・確認してみたいこと／再度練習したほうがよいと思う)，青信号（共感するところ／よいところ）といった視点で他者の意見を読んだり，発表を見たり，聞いたりします。

このようなことを意識しながら情報を受け取ろうとすることで，他者の情報発信に対して集中して情報を受け取る姿に導くことができると考えます。

ステップ⑨

単元の学習を振り返る

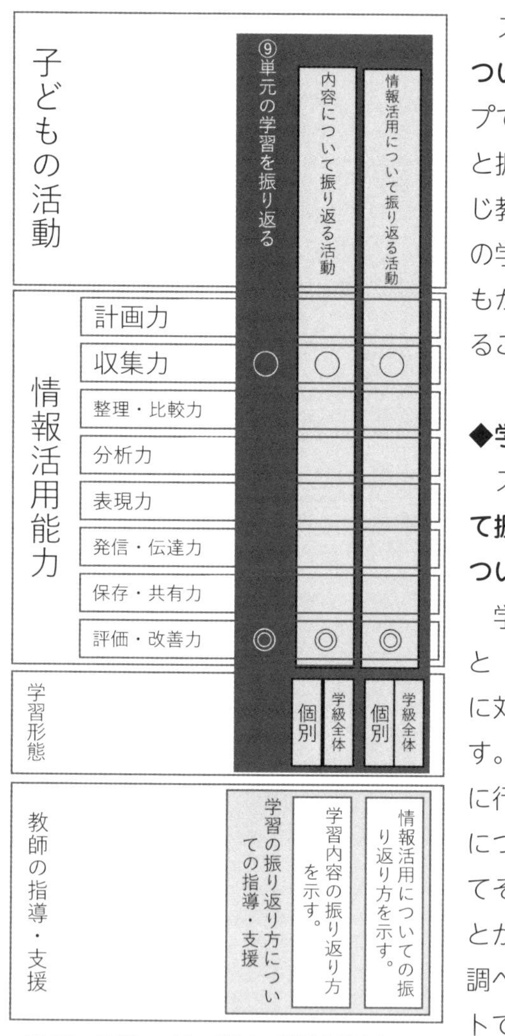

図30　ステップ9　単元の学習を振り返る

ステップ⑨は，**「単元の学習について振り返る」**です。このステップで①〜⑧までの学習をしっかりと振り返ることで，他の教科や同じ教科の次の単元で，単元縦断型の学習パターンが身につき，子どもが主体的で対話的に学習を深めることに繋がります。

◆学習活動と教師の指導・支援

ステップ⑨では，**［内容について振り返る活動］**と**［情報活用について振り返る活動］**を行います。

学習を振り返る際には，「内容」と「方法（情報活用）」のどちらに対しても振り返ることが重要です。これらを振り返る際には，別々に行うのではなく，例えば「〇〇について調べる活動では，どうしてそのようになったのかということがよくわかった（内容）。また，調べる際にはじめにインターネットで調べたが，多くの情報が出てきてとても時間がかかった。後で，資料集を見ると同じ情報が載っていたので，まず，資料集など身近なものから調べていくことで効率よく調べられると思った（方法）」といったように，内容と方法をセットで振り返ることができれば，学習内容に対する適切な方法を今後の学習で選択することができるようになります。

このように「振り返る活動」をする際は，単元のはじめに作成した学習計画を参照したり，その計画に直接書き込んだりして，振り返りをすることが支援になります。

◆育成・発揮される情報活用能力

ステップ⑨で発揮される情報活用能力は「評価・改善力」です。③～⑧のステップで振り返ったことを基に，単元を通して自らの情報活用について振り返ることが重要です。

このように振り返ることにより，自分ができたことやうまくできなかったことに気づき，今後の学習に生かすことができるようになります。また，このように単元の学習を振り返ることで，「収集力」を育成することにつながります。なぜなら自らの学習経験や学習記録を基に，うまくできたことや改善点となる情報を収集して振り返りを考えるからです。

◆学習形態

ステップ⑨では，「個人→学級全体」で学習を進めます。個人で単元の学習を振り返った後に，学級全体で振り返ったことを交流する時間を設定することが効果的です。学級全体で交流する時間を設定することで，他者が気づいている良かった点や課題を伝え合うことができます。また，他者が課題に思っていることを聞くことで，そのことについて自分はどうであったのかを再度考えることができます。そのような点から，単元の最後に学級で振り返りを交流することはとても重要であると考えます。

◆この場面で効果を発揮するツール

単元の学習を振り返る上でシンキングルーチンの「3，2，1ブリッジ」が効果的です。

このルーチンでは，単元がはじまる前に，単元名などから，思いつく単語を３つ，課題に対する質問を２つ，例を１つ記述しておきます。単元終了後に，もう一度同じように課題に対する単語，質問，例を記述し，単

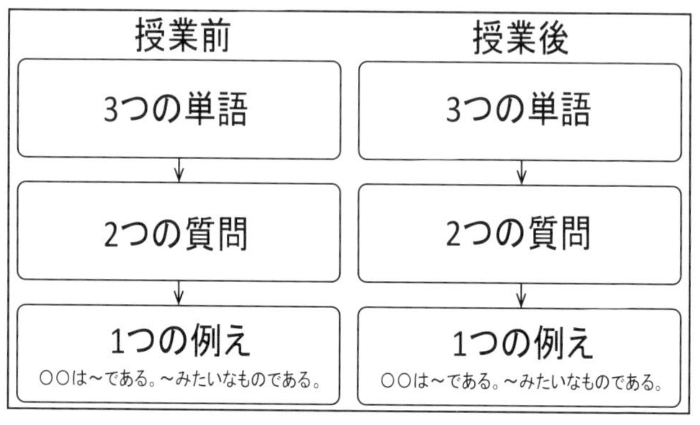

図 31　3, 2, 1 ブリッジのルーチン

元前に記述したものと比較します。

このように比較することで，課題に対して思いついた単語や質問，例が変容し, その課題に対する考えを深めたことに気づくことができるのです。また，情報活用においても，この方法で子どもたちが自らの成長を振り返ることができます。

本章では，単元縦断の基本パターン①～⑨のステップについて解説しました。

図 32 は，基本パターンで授業を進めた際の，情報と知識の変化についてのイメージ図です。基本パターンでは課題を基に集めた情報を関連付けたり，吟味したりしながら，何度もその情報の意味を問い直し，理解を深めます。そして，それらを自らの考えとして新しい価値を創造していくことで，今まで情報であったことが，知識へと変化していくのです。

このようにして身につけた知識こそが，今後の学習や生活の中で「活用できる知識」なのではないでしょうか。

この基本パターンはほぼ全ての教科領域で横断的に活用できます。これらの単元縦断型の基本パターンを教科横断的に取り組むことで，子どもが学習方法に対する知識を習得し，主体的・対話的に学びを深めていくことにつながるのです。

子どもの学習方法に対する知識が高まり，主体的に学習が進むようにな

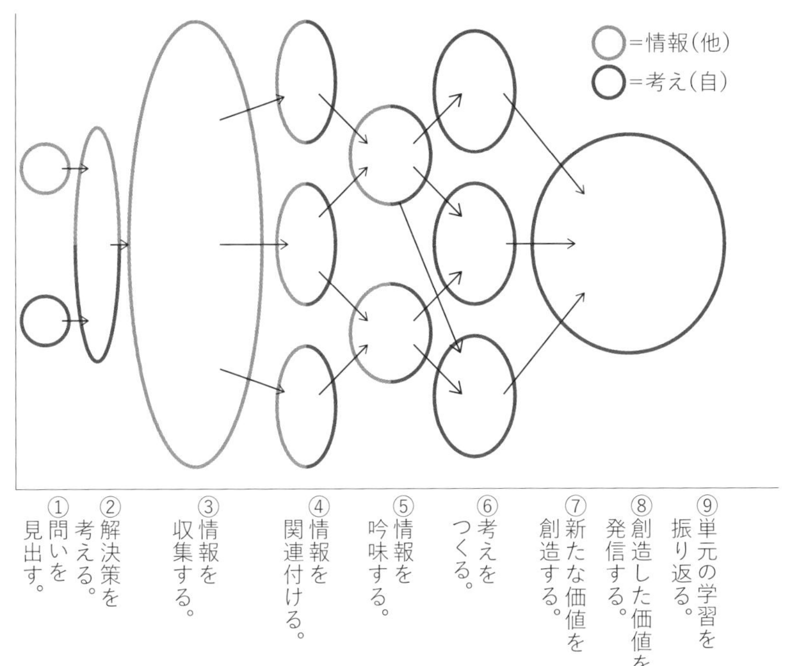

図 32　基本パターンの経過と情報と知識の変化についてのイメージ図

ると，教師が授業中にすることがなくなり不安になることがあります。そのようなときこそ，一人一人の子どもがどのようなことを書いているのか，どのように考えているのか，何を伝えようとしているのかを丁寧に理解しようとしてください。そのように理解しようとすることで，一人一人の課題が見えだし，一人一人に合った指導や支援ができるようになります。

本章で示した単元縦断型の過程は，全ての教科・領域に当てはまるように作られています。全ての教科・領域に当てはまるということは，一つ一つの単元に 100％合致するものではないということです。それを前提に，次章では，単元縦断型を基に実践された様々な教科の事例について紹介していきます。

3章 単元縦断型の授業

本章では，単元縦断型授業について，小学校６年生の国語科，社会科，算数科，理科，メディア・コミュニケーション科を例に挙げて解説します。いずれも，単元縦断的に教材研究を行い，実践した授業を基に書いています。実践した学級は，子ども全員がタブレット PC をもち，授業中は，それらを資料集やノートなどと同じような感覚で活用しています。

事例は特別な環境で学ぶ小学校６年生ですが，単元縦断型授業の基本パターンを基にすることで，タブレット PC が導入されていない学級や，他の学年や他の単元にも応用することができます。それぞれの事例で基本パターンがどのように応用されたかに注目して，読み進めてください。そのように読むことで，基本パターンの活用方法を身につけることができ，「主体的・対話的で深い学び」を実現させる単元を構想することができるようになるでしょう。

単元縦断型国語科授業

小学校６年生「登場人物の心情をとらえ，感想をまとめよう」

	課題設定		収集	整理・分析			まとめ・表現		
単元縦断型基本パターン	①問いを見出す。	②解決策を考える。	③情報を収集する。	④情報を関連付ける。	⑤情報を吟味する。	⑥考えをつくる。	⑦新たな価値を創造する。	⑧創造した価値を発信する。	⑨単元の学習を振り返る。
国語科の学習活動	課題，リード文から問いを見出す。	学習計画を立て，解決策を考える。	教材文から情報を収集する。	情報を関連付けながら登場人物の心情を読み取る。	登場人物の心情を想像する。	登場人物の心情を基に教材文についての考えをつくる。	考えをもとに書評を書く。	書評を読み合い，評価し合う。	学習計画やノート，書評を基に振り返る。
情報活用能力	収集力	計画力	収集力，保存・共有力	整理・比較力	分析力	整理・比較力	表現力，保存・共有力	発信・伝達力	評価・改善力

図１　小学校国語科の単元縦断型授業構成図

図１は，小学校国語科の単元縦断型授業構成図です。本項では，小学校６年生「登場人物の心情をとらえ，感想をまとめよう」（光村図書）を例に挙げ，単元縦断型国語科授業について解説します。

本単元は，重松清さんの「カレーライス」という物語文から，登場人物の心情をとらえ，感想をまとめることを目標とした単元です。教科書のリード文には「『お父さん』との関わりの中で，『ぼく（ひろし）』の心情はどのようにゆれ動くのだろう。心情を表す表現に着目して読み，感想をまとめよう」と書かれています。ここから，この単元で，登場人物の「お父さん」と「ぼく」の心情の変化を読み取ることと，読み取ったことを基に感想をまとめることが本単元の目標になることがわかります。本実践の特徴は，学習計画を基に，子どもたちが登場人物の心情を主体的に読み深めていくために，シンキングツール・ルーチンを使って情報の収集を行ったところです。シンキングツール・ルーチンを使って登場人物の心情を読み深めることで，様々な面から登場人物の心情を考えることに繋がりました。

ステップ①

問いを見出す（単元課題，リード文から問いを見出す）

ステップ①では，本単元の目標を明確にするために，教科書のリード文を読み深めました。単元のはじめに書かれているリード文を読み深めたことで，この単元の目標が「登場人物の『お父さん』と『ぼく』の心情の変化を，心情を表す表現に着目して読み取ること」と「読んだ感想をまとめること」であることをつかむことができました。これらの目標から生じた問いを交流したところ「『お父さん』や『ぼく』の心情をどのような方法で読み取っていけばよいだろうか」「登場人物の心情を表す表現とはどのような表現だろうか」などの問いが出てきました。

次に，本単元の学習活動を具体的にするために，単元課題を提示しました。提示した単元課題は「皆さんは，ある雑誌の記者です。ある日，重松清さんの「カレーライス」という作品について登場人物の関係をわかりやすく解説しながら，登場人物の揺れ動く気持ちが上手く伝わる書評を書くことになりました。文書作成ソフトを使って小学生が読むための書評を書きましょう。」です。この単元課題では，雑誌の記者になりきって，小学生が読む雑誌に教材文の書評を書くことを課題として示しています。この課題を読み，子どもたちは「書評とはどのような文章なのだろうか」という問いをもちました。また，登場人物の関係を解説したり，揺れ動く気持ちを書いたりするには，リード文で示されたように，心情の変化を読み取

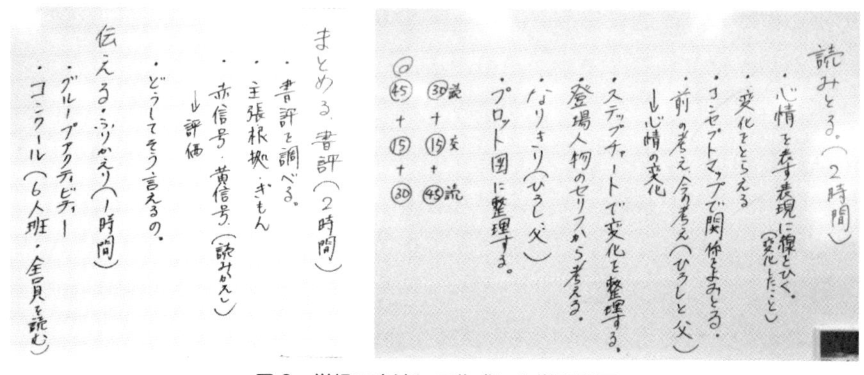

図２　学級で交流して作成した学習計画

る必要があるということに気づきました。さらに，「文書作成ソフトを使う」という部分から，文書作成ソフトをどのように活用すれば伝わりやすくまとめることができるのかという問いも生まれてきました。

ステップ②

解決策を考える（学習計画を立て，解決策を考える）

ステップ②では，学習計画を立てる活動を通して，問いに対する解決策を考えました。図２は，本単元の流れについて話し合ったことについての板書です。ここでの話し合いは，まず，大まかな単元の流れについて意見を出し合いました。教科書のリード文を基に，「物語を読み取る時間」「読み取ったことを基に書評を書く時間」「書評を読み合

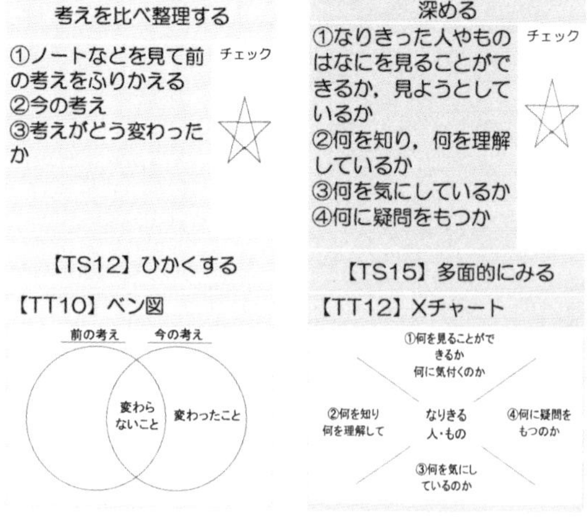

図３　シンキングルーチンの進め方

い，単元の学習を振り返る時間」が必要であることを確認することができました。次に，それぞれの時間でどのように学習を進めるかについて話し合いました。

「物語から情報を読み取る時間」では，教材文から，心情を表す表現に注目しながら読み，「お父さん」や「ぼく」の心情を理解するために，どのような方法で読み進めればよいのかについて話し合いました。

子どもたちは，今までの国語科の学習で経験した方法として「心情を表す表現に線を引きながら読み進める」「登場人物の言葉から，その時の心情を想像する」といった発言をしていました。また，実践カードを参照しながら「物語の出来事に沿って心情を表す表現をステップチャートや表で整理し，場面ごとの心情の変化を比較する（シンキングルーチン『前の考え，今の考え』）」「コンセプトマップで登場人物の関係や相手に対する思いを整理する」「『なりきり』のシンキングルーチンで『お父さん』や『ぼく』になりきり，心情の変化を読み取る」（図 3）などの方法が出てきました。

「読み取ったことを基に書評を書く時間」については，まず，「書評という文章がどのような文章かを調べる必要がある」という意見が出ました。そして，それを理解した上で「書評を書くために読み取ったことを構造化する」「構造化する際はピラミッドチャートを使って，シンキングルーチンの『主張・根拠・疑問』で整理すればよいのではないか」「『どうしてそう言えるの』のシンキングルーチンで，クラゲチャートを使って自分の主張に対する理由を明確にする必要がある」「読み終えた後は，『赤信号・黄信号』で

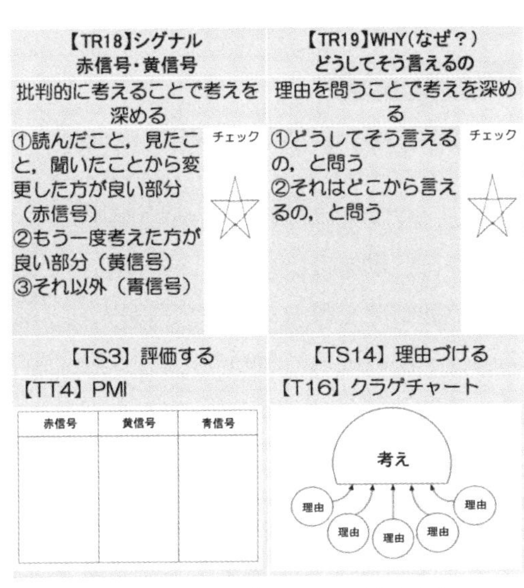

図 4　シンキングルーチンの進め方②

図５　実践カードを参照しシンキングルーチンを確認している様子

図６　教科書から心情の変化を表す表現を読み取っている様子

自分が書いた文章を批判的に読み，改善する必要がある」（図４）などの意見が出ました。

「書評を読み合い，単元の学習を振り返る時間」については，「全員の書評を読んだ後に，書評コンクールをしたい」という発言に，多くの子どもたちが賛同し，コンクールを行うことになりました。最後に，他者の書評と自分が書いた書評を比較した上で，本単元の学習について振り返る時間を設定し，単元の学習を終えることが共通理解されました。

本実践では，このような活動を通して出し合った学習の方法から，子どもがやってみたい方法を選択し，学習の見通しを明確にしました。

ステップ③

情報を収集する（教材文から情報を収集する）

ステップ③では，教材文から情報を収集する活動を行いました。子どもたちは，教材文を読みながら，登場人物の心情を読み取ることができるところに，線を引いたり，印を付けたりしながら読み進める姿が見られました。また，一読した後に，線や印を付けた部分に戻り，その部分が「誰の」「どのような心情」が表現されているのかを

図７　教科書の情報とシンキングルーチンを関連付ける様子

考え，感じたことを書き込む姿が見られました。

ステップ④⑤

情報を関連付ける（情報を関連付けながら登場人物の心情を読み取る）
情報を吟味する（登場人物の心情を想像する）

ステップ④では，線や印を付けた文章や言葉を，シンキングツール・ルーチンを使って，情報を関連付けていきました。

「なりきり」のルーチンを選択した子どもは，実践カードを参照しながら，登場人物が「何を見ることができるのか，見ようとしているのか」「何を知り，何を理解しているのか」「何を気にしているのか」「何に疑問をもつのか」という視点と関連付けて，教材文を読み，それぞれの視点に関連付く文章や言葉，また，文章から想像できることをＸチャートに記述していく姿が見られました。

このような視点で，登場人物の「ぼく（ひろし）」の心情を読み取ることにより，「何を見ることができるのか，見ようとしているのか」には「お父さんがテレビを消した」「ごきげんな顔で大盛りカレーをぱくつく」「お父さんがちょっとこわい顔になっていった」など，「ひろし」がお父さんの様子をどう見たのかについて記述していました。また「何を知り，何を理解しているのか」では，「無視までしてお父さんを怒らせるのは良くないことだった」「お父さんが風邪をひいている」「自分でルールを守らなかったのは良くない。ちゃんと謝らなければ」など，教材文の文章やそこから考えられる「ひろし」の心情を想像して記述していました。

図８　実践カードを参照しながら情報を整理する様子

このように，その他の視点も教材文から想像できることを，「なりきり」の視点と関連付け，それらを吟味して心情についての想像を広げる姿が見られました。

登場人物の心情を表す表現を表に整理した子どもは，登場人物の「ひろし」と「お父さん」を表頭に，時間の流れを表側にして整理していました(図 9)。このように教材文を整理していくことにより，「ひろし」と「お父さん」の行動や発言の関連性がわかりやすくなり，それらの関連性を吟味しながら登場人物の心情の変化を想像していました。

「前の考え，今の考え」のシンキングルーチンを選択した子どもは，ベン図に教材文の前半の登場人物の心情と，後半の登場人物の心情を整理し，それぞれの心情を，比較して読み深めていました。例えば，教材文前半の「ひろし」の考えを「もう絶対に謝らない」という心情が後半に「ごめんなさいは言えなかったけ

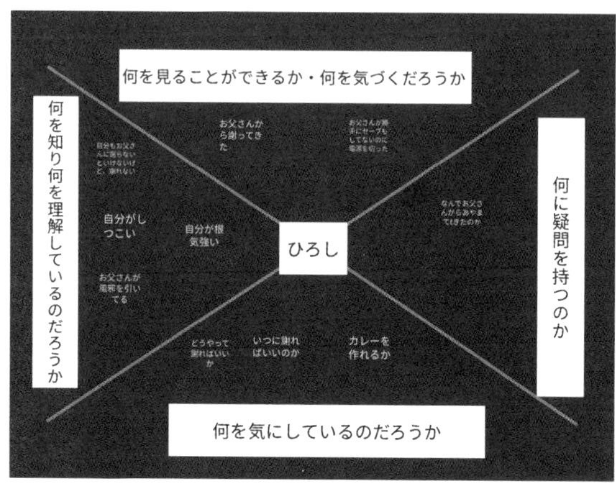

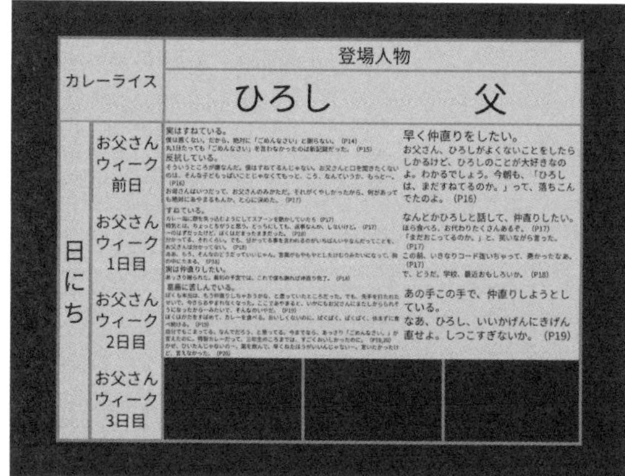

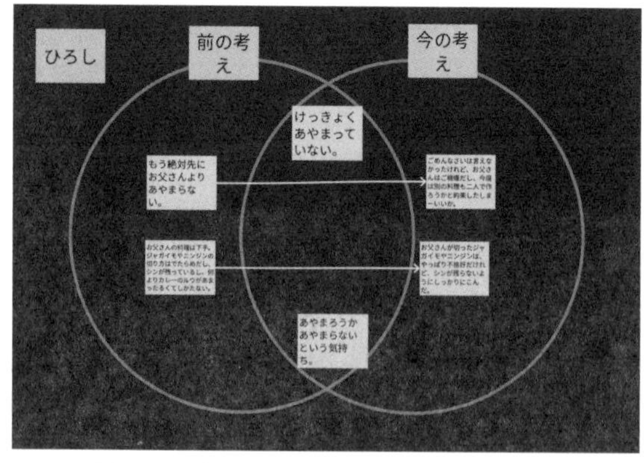

図 9　子どもが情報を整理したワークシート

れど，お父さんはご機嫌になった。そして，次の料理を作ることも約束できた」といったように，教材文に描かれている状況から，「ひろし」の心情の変化を読み取っていました。また，これらの心情の変化を吟味することで,「ひろしはあやまりたいけれど素直にあやまれないのではないか」「あやまろうとしたけれど，『ごめん』の一言を言うのが悔しかったのではないか」などの，登場人物の心情に対する想像をふくらませる姿が見られました。

ステップ⑥

考えをつくる（登場人物の心情を基に教材文についての考えをつくる）

ステップ⑥では，教材文から読み取ったり，想像したりした登場人物の心情を基に，この教材文に対する考えをつくりました。具体的には，シンキングツールに整理した，登場人物の心情を俯瞰し，この教材文を通して，どのようなことを考えたのかを明確にしていきました。その際に，「どうしてそう言えるの」のシンキングルーチンを参考にし（図 4），クラゲチャートの上段にこの教材文を通して最も心が動いたこと（主張）を書き，下段に，なぜそのように考えたのかの理由を書き進めていきました。

このような方法で教材文を通して登場人物の心情の変化から考えたことを記述していくことで，この教材文の学習で子どもが「どのようなことに最も心が動かされたのか」「それはなぜか」ということを明確にすることができました。ある子どもの記述を見ると「ひろしがお父さんに謝りたかったけれど，謝れなかったこと」に対して，その理由として「テレビを消されたときの怒りがわすれられない」「素直に謝ることに恥ずかしさを感じている」「自分も同じような経験をし，謝れない気持ちが共感できる」「謝ったらすぐにスッキリとするのに，どうしてか素直になれない気持ちが自分と似ている」と記述し，最も心が動いたことの理由を教材文から読み取った「ひろし」の気持ちや，自らの経験を結びつけて記述する姿が見られました。

ステップ⑦

新たな価値を創造する（考えを基に書評を書く）

ステップ⑦では，教材文から読み取った登場人物の心情の変化と，それらを基につくった自らの考えを書評で表現しました。書評を書く上で，まず書評とはどのような目的で書かれる文章なのか，また，書評にはどのようなこと書けばよいのかということを，調べ，交流しました。

交流を通して，この授業で取り組む書評を「『カレーライス』という物語の魅力を，あらすじと，それを読んで自分がどのようなことを考えたのか踏まえて紹介する」ものとしました。このことを基に，子どもたちは，それぞれが自由に項目立てをして，書評を書いていきました。

ある子どもの書評は，はじめに作者である重松清さんの略歴とその他の著書について紹介した後に，教材文である「カレーライス」について読み

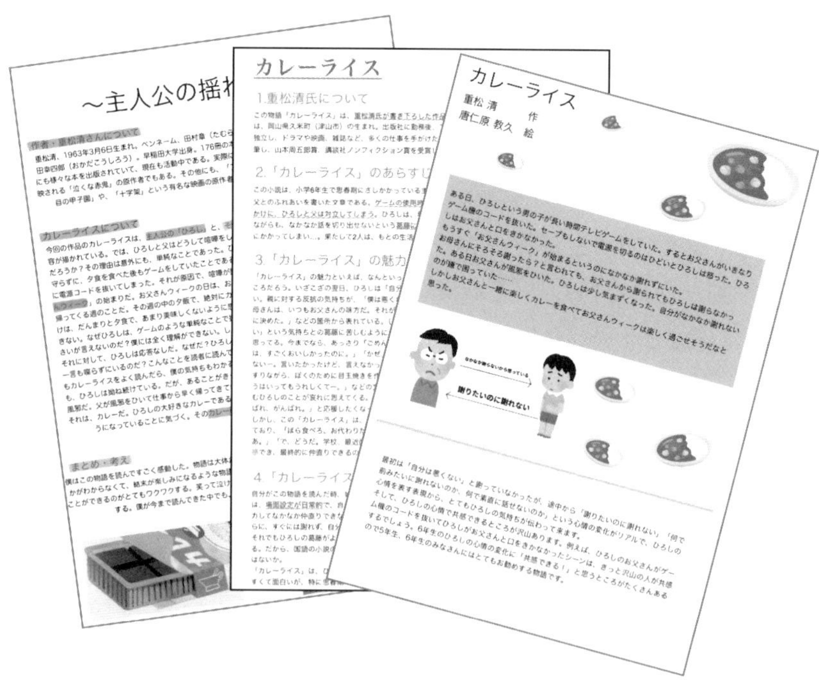

カレーライス

重松 清　作
唐仁原 教久　絵

ある日、ひろしという男の子が長い時間テレビゲームをしていた。するとお父さんがいきなりゲーム機のコードを抜いた。セーブもしないで電源を切るのはひどいとひろしは怒った。ひろしはお父さんと口をきかなかった。
もうすぐ「お父さんウィーク」が始まるというのになかなか謝れずにいた。
お母さんにそろそろ謝ったら？と言われても、お父さんから謝られてもひろしは謝らなかった。ある日お父さんが風邪をひいた。ひろしは少し気まずくなった。自分がなかなか謝れないのが嫌で困っていた……
しかしお父さんと一緒に楽しくカレーを食べてお父さんウィークは楽しく過ごせそうだなと思った。

最初は「自分は悪くない」と謝っていなかったが、途中から「謝りたいのに謝れない」「何で前みたいに謝れないのか、何で素直に話せないのか」という心情の変化がリアルで、ひろしの心情を表す表現から、とてもひろしの気持ちが伝わって来ます。
そして、ひろしの心情で共感できるところが沢山あります。例えば、ひろしのお父さんがゲーム機のコードを抜いてひろしがお父さんと口をきかなかったシーンは、きっと沢山の人が共感するでしょう。6年生のひろしの心情の変化に「共感できる！」と思うところがたくさんあるので5年生、6年生のみなさんにはとてもお勧めする物語です。

図 10　子どもが作成した書評

深めたことと，この物語に対する思いや考えをまとめていました。また，その他の児童は，登場人物の心情の変化を伝えるために，「ひろし」と「お父さん」の関係を簡単な図にして，その図を文章で解説しながら教材文の魅力を伝えようとしていました。このように，読み深めた物語に対して，書評を書くという活動を行うことで，子どもたちは主体的に作者の経歴を調べたり，他の作品を読んで「カレーライス」と比較したりする姿が見られました。また，教材文から読み深めたこの物語の魅力を，他者に紹介するように工夫して書くことができました。

ステップ⑧⑨

創造した価値を発信する（書評を読み合い，評価し合う）
単元の学習を振り返る（学習計画やノート，書評を基に振り返る）

ステップ⑧，⑨では，子どもたちが書いた書評を読み合う活動を行い，その後に，本単元の学習について振り返りました。

書評を読み合い，評価し合う活動では，子どもたちから，「書評コンクールをしたい」という声が上がりましたので，「コンクールではどのような基準で評価するの」と問いかけました。すると，「自分の考え（主張）が入っていること」「物語の魅力が伝わるように書かれていること」「読み手を引きつける書き方がされていること」「登場人物の心情の変化がわかりやすく解説されていること」「登場人物の関係がわかるように書かれていること」などの視点が出てきました。そこで，これらの視点を基にどのように評価するのかを問うと，それぞれを５点満点とし，合計を 20 点として審査し合うことになりました。得点をつけるということで，嫌な思いをする子どもがでないように，個別で書評を読み，審査を教師に提出するようにしました。評価基準を揃えるところまでは行きませんでしたが，評価の視点を共有することにより，「主張は何か」「読み手を引きつける書き方になっているか」「登場人物の心情の変化はわかりやすいか」などを確認したり「赤信号・黄信号」のシンキングルーチン（図 4）を参考にしたりしながら，書評を主体的に読む姿が見られました。

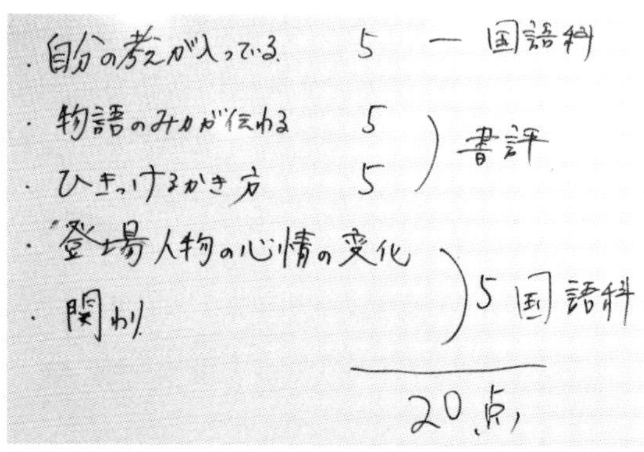

図11　子どもたちの審査結果の集計

子どもたちが書評を審査し終わった後は，教師が子どもたちの審査結果を集計し，「主張が良かったで賞」「心情がわかりやすかったで賞」など，評価の視点に合わせた賞や，教師が読んで良いと思ったことを賞として，多くの子どもの頑張りを称えました。

このように，書評を読み合い評価し合った後に，本単元の学習について，学習計画や学習の記録，書評を見ながら本単元の学習を振り返りました。単元を振り返る際には，リード文を基に「『お父さん』との関わりの中で，『ぼく（ひろし）』の心情はどのようにゆれ動くのだろう。心情を表す表現に着目して読み，感想をまとめ」ることができたのか，また，学習計画を再確認し，自分が選択したシンキングルーチンやシンキングツールは効果的に活用できたのかについて振り返りました。このように，内容面と方法面の両方で学習を振り返ることで，「心情を読み取る際に，『なりきり』のルーチンは効果的であった。なぜなら…」といったように学習内容と方法の関係について考えることができました。このような経験が，次の学習を行う際に主体的に内容に合わせて方法を選択する姿につながると考えられます。

単元縦断型社会科授業

小学校６年生「三人の武将と天下統一」

	課題設定		収集	整理・分析			まとめ・表現		
単元縦断型基本パターン	①問いを見出す。	②解決策を考える。	③情報を収集する。	④情報を関連付ける。	⑤情報を吟味する。	⑥考えをつくる。	⑦新たな価値を創造する。	⑧創造した価値を発信する。	⑨単元の学習を振り返る。
社会科の学習活動	課題，資料や重要語句から問いを見出す。	問いをもとに学習計画を立てる。	諸資料や他者から情報を収集する。	情報の関連を整理する。	社会科歴史学習の見方・考え方で再整理する。	再整理された情報から考えをつくる。	考えを組み合わせ文書資料をつくる。	資料を基に考えを共有する。	学習計画や記録，文書資料を基に振り返る。
情報活用能力	収集力	計画力	収集力	整理・比較力	分析力	整理・比較力	表現力	発信・伝達力	評価・改善力

図１　小学校社会科歴史分野の単元縦断型授業構成図

図１は，小学校社会科歴史分野の単元縦断型授業構成図です。本項では，小学校６年生「三人の武将と天下統一」（東京書籍）を例に挙げ，単元縦断型社会科授業について解説します。

社会科歴史分野では，このような単元構成で，全ての単元を実施することができます。この単元構成の特徴は，それぞれの単元で教科として身につけるべき重要な知識を，「重要語句」として示しています。また，単元の最後に，学習したことを基に「連続資料」にまとめます。

ステップ①

問いを見出す（単元課題，資料や重要語句から問いを見出す）

ステップ①では，子どもが問いを見出すことができるように，まず，単元を貫く単元課題を提示しました。小学校社会科歴史分野の学習で提示した単元課題は「あなたは，図書委員です。今回，小学生が日本の歴史について興味をもつような資料を作ることになりました。作成する資料には，当時の人物や出来事を『文化』『生活』『政治』『願い』の視点で，文章と図・表を結びつけながら，筆者の考えとともにまとめる必要があります。小学生が思わず見たくなり，歴史が好きになるような連続資料を作成してください。」としました。

担当した学年では，６年生の歴史学習を通して，この単元課題に取り組みました。

この課題では，まず「あなたは，図書委員です。今回，小学生が日本の歴史について興味をもつような資料を作ることになりました」とし，子どもたちがなりきる立場とその立場で取り組むこと（課題）を明示にしています。このように立場や課題を明確にすることにより，子どもが図書委員の仕事を思い浮かべ，図書室に本を読みに来る同学年，もしくは他学年の子どもたちが見たくなるような資料を作成しようとする意欲に繋がると考えました。

次に「資料には，当時の人物や出来事などを文化，生活，政治，願い」として社会科歴史分野の見方・考え方を示しました。このような見方・考え方を示すことで，この人物はどの分野（政治なのか文化なのか）につながる人物なのか，また，この出来事について当時の人々はどのような願いをもっていたのかといった視点で，集めた情報を吟味することができると考えました。

最後に「文章と図，絵，表を結びつけながら，筆者の考えとともにまとめられる必要があります。小学生が思わず見たくなり，歴史が好きになるような連続資料を作成してください」とし，情報をまとめる際に，文章ばかりではなく，文章と絵や図，表と関連付けながら，わかりやすくまとめることが意識できるようにしました。また，「連続資料」という言葉を使うことで資料作成を，全ての歴史学習を通して行う意識をもたせ，初めに作成した書式などを活用しながら，一貫した資料を作成することができるようにしました。

単元課題を確認した後は，その時代の特徴的な資料を提示し，問いを見出しました。この単元では，子どもが問いを見出すための資料として，当時の様子を想像することができるイメージ図（絵図）を提示・配付し，問いを見出しました。イメージ図を活用したのは，この単元の学習で深めたい３人の武将が生きた時代背景についての興味を喚起し，追究するのに適した問いをつくることができると考えたからです。

問いを見出す際は，まず，問いを考える活動からはじめます。問いを考える活動では，子どもが絵図を見ながら，気づいたこと，思ったこと，疑問に思ったことを，図や余白に書き込む活動を行いました。その際に，シンキングルーチンの「See, Think, Wonder」で，「見えたこと」「思ったこと」「引っかかったこと」を意識するように指導しました。そのように頭の中でルーチンを回しながら，図に描かれている事柄を一つずつ読み取っていくことで，「安土城はとても高い山上にある」「どうして信長は，安土（滋賀）に城を建てたのか」「外国の服を着ている人がいるということは，海外から人が来ていたのか」「戦いのときにつけている旗は何を意味するのか」「天下統一とは，どのようになることを言うのか」などの多くの気づきや問いを考えることができました。

次は，問いをつくる活動です。この活動では，まず，子どもが気づいたことや疑問に思ったこと（問い）を学級全体で交流しました。交流する際は，挿絵を電子黒板に提示し，子どもが発言したことが図のどの部分からの発言であるかを明確にした上で，発言内容をキーワード化しイメージマップで板書しました。子どもの発言が落ち着いてきたら，重要語句を示しました。重要語句は，本単元で子どもが身につけるべき知識として示されている用語です。この単元で示した重要語句は，図２のとおりです。

最後に，子どもが発言した問いと，重要語句を基に，本単元で追究していきたい問いを，個別でつくる活動を行いました。この活動での子どもの様子は，自分のタブレット PC に書かれている問いや板書された問いから追究したい問いを選択し，それらを追究したい順に整理して記述したり，選択した問いと重要語句との関連を検討し，問いをつくり直したりする姿が見られました。

重要語句

織田信長、豊臣秀吉、徳川家康、キリスト教、検地、刀狩、江戸幕府、朝鮮出兵、関ヶ原の戦い、南蛮貿易

図 2　本単元で児童に示した重要語句

ステップ②

解決策を考える（問いをもとに学習計画を立てる）

ステップ②では，子どもがつくり出した問いや重要語句を基に，学習計画を立てる活動に取り組みました。学習計画を考える際は，単元の時間設定，情報教育の学習過程（集める，伝えるなど）がわかる実践カードを参照するように指導しました。そして，カードを拡大提示しながら，単元のどの場面で学級全体での交流が必要であるかについて話し合いました。

子どもたちは話し合いの中で，「毎時間学習の最後に交流をしたい」や「情報を集める時間は，集中して集めたいので，2 時間の集める時間の最後に交流したい」など，学習をどのように進めていくのかについての意見を積極的に発言する姿が見られました。これらの意見を基に，単元のどこで学級全体での交流を何分程度設定するかを共有しました。

全体で交流するタイミング，交流時間を決めた後は，個別でどのように学習を進めるかの計画を考えました。子どもたちは，自らが考えた問いや重要語句を参照しながら，「この時間に重要語句の○○と○○を調べる」

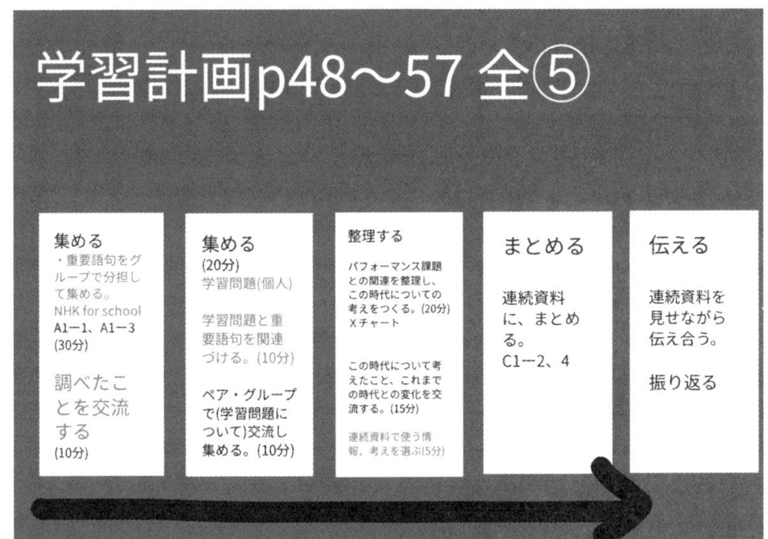

図３　児童が書いた学習計画

図４　学習計画を交流する姿

や「ここで時間があれば，この問いを解決したい」「グループで分担して重要語句についての情報を集め，この時間に調べたことを共有しよう」といったように計画を立てていました。また，解決方法について実践カードを参照しながら，解決方法（教科書・資料集で集める，熊手チャートで整理するなど）を記述する姿も見られました。図３のＡ1 − 1，Ｃ1 − 2 などの記号は，子どもが実践カードを参照し，その時間に適切な学習方法であると判断し記述した実践カードの項目番号です。

ステップ③

情報を収集する（諸資料や他者から情報を集める）

ステップ③では，重要語句や学習問題を基に，教科書や資料集，インターネットのウェブサイトから情報を収集しました。子どもたちは，まず，重要語句に示された人物や出来事について教科書や資料集から情報を集めだしました。教科書や資料集からはじめたのは，適切な情報がわかりやすく掲載されているからです。インターネットには多くの詳しい情報がありますが，小学生にとっては読み取ることが難しかったり，情報量が多く，必要な情報を見つけるまでに時間がかかったりします。そのようなことを子どもに指導しておくことで，「授業の終了間際になっても，見つけられた情報がない」という状況を防ぐことができます。教科書や資料集で情報を収集する際は，文章と図・表を関連付けて必要な情報を選択することが大切です。特に資料集などに掲載されているグラフは，項目の数値を比較するとともに，グラフについて説明されている文章と結びつけながら読み取るように指導しました。

このように情報の読み取り方を指導することで，教科書や資料集に掲載されている様々な資料から，必要な情報を主体的に選択し記録する姿につながりました。また，インターネットで情報を収集することについては，検索ワードの工夫と情報の絞り込み方について指導しました。この単元の場合,「織田信長や豊臣秀吉」といった人物については，教科書や資料集でだいたいのことがわかります。また，これらのキーワードを検索ワードとすると，非常に多くのサイトがヒットし，そこから必要な情報を選択することに時間がかかってしまいます。そのため，インターネットでは，「教科書や資料集の情報をさらに深める」「教科書や資料集には載っ

図５　教科書から情報を収集する姿

ていないこと，もっと知りたいことを調べる」ように指導しました。このようにして情報を収集するように指導することで，情報を集める範囲が絞り込まれ，検索ワードを工夫して情報を集める姿が見られました。

インターネットで情報を収集する上でNHK for schoolのウェブサイトが効果的です。NHK for schoolは，学習する学年を対象に番組が作成されており，子どもが興味をもって視聴できるように制作されています。これらの動画から情報を収集する際には，「ノートにメモをする」「必要な情報が出てきた際に動画を止め，スクリーンショットをして記録する」など，動画から必要な情報を選択する方法を事前に指導する必要があります。この実践でもこれらのことを指導した上で動画を視聴させたことで，必要な情報が何かを考えながら動画から情報を収集する姿が見られました。

ステップ④

情報を関連付ける（情報の関連を整理する）

ステップ④では，集めた情報と情報，集めた情報と知識を関連付けました。このステップは，子どもの学習計画では情報を集める過程の中で，適宜行うように指導しました。

子どものタブレットPCには，ステップ③で収集した重要語句についての情報と問いの解決に向けた情報が多数記録されていました。それらの情報を次の活動で活用することができるように，記録された情報を俯瞰し，関連のある情報と情報をつないで，整理するように指導しました。また，収集した情報について知っていること（知識）も同時に記述するように指導しました。このように指導することで，子どもたちは，関連する情報と情報，情報と知識を線でつないだり，シンキングツールを使ったりして情報を関連付け，収集した情報に対する理解を深めることができました。

ステップ⑤

情報を吟味する（社会科歴史学習の見方・考え方で再整理する）

ステップ⑤では，関連付けられた情報を再整理して，それらの情報に対する理解を深めました。情報を再整理する際は，関連付けた情報を社会科歴史学習の見方・考え方である「文化」「生活」「政治」「願い」に分類しました。分類する際は，これらの視点と，事実，考察を記入する場所が示されたＸチャート（図6）を配付しました。このような見方・考え方で関連付けた情報を再整理することで，「刀狩りや検地は政治に入るね」「秀吉は年貢をしっかりと取れるように検地をしたから政治に当てはまるのかな」「刀狩りは，政治の一つだけど，平和な国にしたいという願いも込められていたんじゃないかな」などといったことを考えながら情報を吟味し，歴史学習の見方・考え方で再整理する姿が見られました。このように，集めた情報を吟味する活動を行うことで集めた情報の意味について改めて考えることができるため，それらに対する理解が深まり，子どもたちの内面で情報がだんだんと知識に変化しているように感じました。

ステップ⑥

考えをつくる（再整理された情報から考えをつくる）

ステップ⑥では，歴史学習の見方・考え方で再整理した情報から，思ったことや考えたことを記述し，その時代の出来事や人物に対する考えをつくっていきました。ステップ⑤で配付したＸチャートは，それぞれの分類「文化」「生活」「政治」「願い」について「事実」と「考察」を分けて記述できるようにして配付しました。ステップ⑥では，ステップ⑤で分類された情報から考えたことを「考察」の部分に記述する活動を行いました。

子どもたちは，政治に分類した「織田信長」の戦法について集めた情報から，「信長はどのようにして多くの鉄砲を集められたのだろうか，また，それらの鉄砲をうまく使って戦いに勝ったのは，すごいことだと思う。とても頭のいい人だと思った」と記述したり，政治に分類した「刀狩り」の

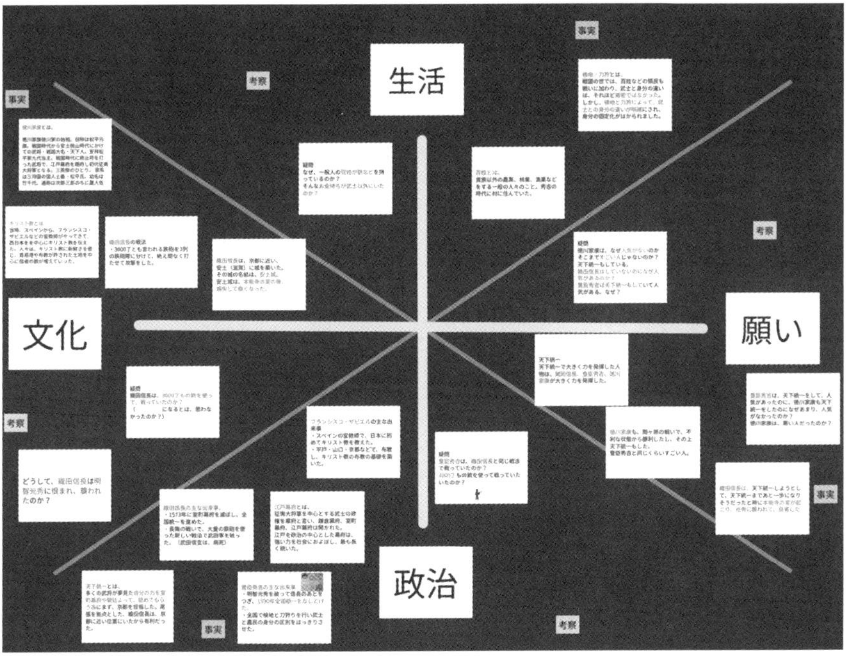

図６　歴史学習の見方・考え方で再整理したＸチャート

情報から「百姓がどうして刀を持つ必要があったのか。それほど，争いが多い時代だったことがわかる。刀狩りで武器を奪われることになった百姓はきっととても不安で，反発したのではないかと思う」といった考えを記述したりする姿が見られました。

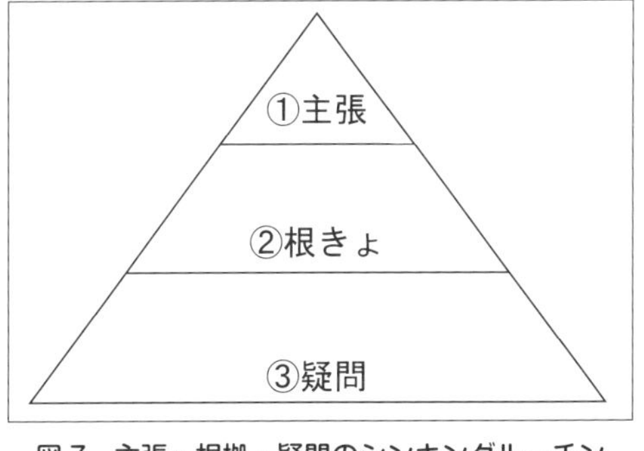

図７　主張・根拠・疑問のシンキングルーチン

このように吟味された情報から当時のことについて考えたことを記述することで，これまでは集めた情報（事実）や既習事項を基にした知識との繋がりであった情報に，子どもの考えを付け足すことができました。

最後に，これらの情報と考えを構造化し，連続資料の記事を書くための見通しをもてるようにしました。構造化する際は，分類した情報から連続資料に記述したい情報を選び，「主張・根拠・疑問」のシンキングルーチンを参考にしながらピラミッドチャートに整理しました。このように整理することで，主張と根拠を明確にして連続資料の記事を書くことができました。

ステップ⑦

新たな価値を創造する（考えを組み合わせ，文書資料をつくる）

ステップ⑦では，新たな価値として連続資料を作成します。連続資料は，単元のはじめに提示した単元課題にあったように，「当時の人物や出来事を『文化』『生活』『政治』『願い』の視点で，文章と図・表を結びつけながら，筆者の考えとともにまとめること」「小学生が思わず見たくなり，歴史が好きになるような資料にすること」を目標に作成します。本実践では，タブレット PC が一人に一台の環境で学習を進めてきたこともあったことから，連続資料を「Pages」で作成しました。

「Pages」で文書資料を作成する際に，文字を強調する方法について，また，図や枠を挿入する方法についての指導を行いました。文字を強調する方法については，タイトルや重要語句など強調したい部分の「フォントを変える」「太字にする」「下線を入れる」「文字を大きくする」「色を変える」方法について指導しました。また，図や枠を挿入する方法については「四角や丸などの図形の挿入」「写真の挿入」「表の挿入」方法を指導しました。これらのことを指導することで，子どもは，ステップ⑥で構造化した考えを基に，資料を見た人が理解しやすいように，記事のタイトルを大きくし，他の部分とフォントを変えて強調したり，記事ごとに枠の色を変えてまとめたり，三人の武将の政治の特徴を表に整理して示し

図 8　構造化された情報から連続資料を作成している様子

たりするなどの工夫をしてまとめていく姿が見られました。

このようにして，これまでの学習を通してつくり出してきた考えを，受け手がよくわかるように連続資料に表現する活動を通して，子どもたちは，「この表現でわかるのか」「それぞれの関係を図に整理した方がわかりやすいのではないか」「写真を入れたほうが良いのではないか」など，一つ一つの記事をどのようにまとめれば伝わりやすいのかということを改めて検討する姿が見られました。これらの活動を通して再度，集めた情報について深く考える姿がみられ，情報がまた一歩知識に変化したように感じました。

5.南北朝時代・室町時代

前期は鎌倉幕府を開いた源頼朝をはじめとする源氏が、後期は源からの攻撃に立ち向かった北条氏が権力を握りました。御家人の努力も忘れてはいけません。

今回の時代

250年近く続く室町時代は、南北朝時代(1337年～1392年)・室町時代(1392年～1467年)・戦国時代（1467年～1568年）の3つに分かれます。

1.南北朝の発生と統一

鎌倉幕府を滅ぼした足利尊氏は、建武の新政（隠岐に配流されていた後醍醐天皇が隠れて京都に戻り、政治を始めた）の崩壊を受けて光明天皇（北朝）を天皇に立てて幕府を開いた。後醍醐天皇（南朝）はそれに対抗して、奈良の吉野で天皇になった（南朝）。3代目将軍の足利義満が、北朝と南朝から交互に天皇を出すことで、南朝を北朝に併合することに成功した。

2.足利義満と北山文化

足利義満は、使節を明に派遣し、両国の国交が正式に樹立された。日本国王が皇帝に朝貢する形式をとった勘合貿易が1404年（応永11年）から始まった。
また、足利義満は、表面に金箔を貼った金閣寺を建てた。1階は公家風の寝殿造で阿弥陀堂になっており、2階は武家造りの住居、3階は禅宗様式になっており仏舎利が安置されていると言われている。足利義満の時代に、能などの北山文化が栄えた。

3.足利義政と東山文化

室町幕府第8代将軍の足利義政は、幕政を正室の日野富子や細川勝元・山名宗全らの有力守護大名に委ねて、自らは東山文化を築くなど、もっぱら数奇の道を探求した文化人であった。足利義政は、京都の東山に銀閣寺（銀ははっていなくて、木造）を建てた。この部屋の作り(書院造)は、現在の和室の元になっている。他にもこの時代には、中国に渡った雪舟の水墨画や茶の湯（現在の茶道）などの今に伝わる東山文化が生まれた。

4.応仁の乱

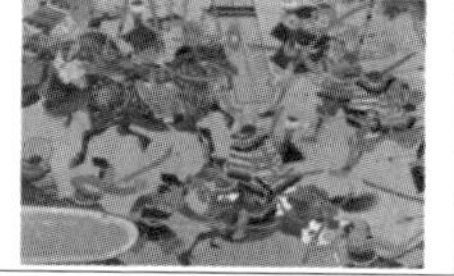

1467年（応仁元年）から1477年（文明九年）まで11年間続いた、義政の後継ぎ争い。義政が当初、弟の義視(出家していた)に将軍職を譲ろうとしたところで、日野富子との間に息子の義尚が生まれてしまったことが応仁の乱の発端で、室町幕府の武士たちも東軍（義視・義政・細川勝元側）と西軍（義尚・日野富子・山名持豊側）で分かれた。最初東軍だった義視などの寝返りや、細川氏と山名氏の権力争いなどで、複雑な戦いになった。最終的には、細川勝元も山名持豊も両方が途中で病死した。

みんな知ってる3人の武将はなにをした？

戦国時代

この時代は3人の武将が活躍した時代だ。それは徳川家康、豊臣秀吉、織田信長の3人だ。
徳川家康→関ヶ原の戦いで買って実権をにぎり、征夷大将軍となって江戸幕府を開いた。大阪冬の陣、夏の陣で豊臣秀吉をほろぼし、幕府を中心とする政治の仕組みの基礎をつくった。
豊臣秀吉→明智光秀を破って信長のあとをつぎ、1590年、全国統一をなしとげた。全国で検地と刀狩を行い、武士と農民の身分の区別をはっきりさせた。
織田信長→1573年に室町幕府をほろぼし、全国統一を進めた。長篠の戦いで、大量の鉄砲を使った新しい戦法で武田軍を破った。

検地とは、領地にどのくらいの田畑があり、それらの生産高がどれくらいあるのかを調査し検地帳に記入していくこと。そして刀狩令を出し、百姓たちから刀や鉄砲などを取り上げて反抗できないようにした。
検地と刀狩によって武士と、百姓、町人(商人や職人)という身分が区別され、武士と町人は城下町に住み、百姓は農村や山村、漁町で農業や林業、漁業などに専念するようになった。武士が世の中を支配する社会の仕組みが整えられていった。

江戸幕府が開かれた。江戸を政治の中心とした幕府は強い力に社会を及ぼし、最も長く続いた。

当時強い力を持っていた仏教勢力と対抗するために織田信長がヨーロッパから伝えられたキリスト教を保護した。安土にはキリスト教の学校、京都には教会堂を建てることを許した。そのためスペインやポルトガルといった国から宣教師や貿易船がやってきてヨーロッパの進んだ文化や品物を日本にもたらした。堺などの港町はこれらの国々との貿易(南蛮貿易)によって大いに栄えた。

3人は天下統一のために色々な努力をした。織田信長は、当時強い力を持っていた仏教勢力と対抗するためにキリスト教を保護した。このキリスト教は新鮮さを感じ、信者が増えていったそうだ。このことから自分の味方につく人達を増やしたかったから新しいことを取り入れていたのかもしれないと考えられる。もし本当にこのことが目的でキリスト教を保護したのなら、とても計画通りに進んでいたといえる。
そしてなぜ検地や刀狩をして武士と農民の身分の区別をはっきりさせたのだろうか。これはしなければならないことだったのだろうか。武士からすれば都合が良かっただろう。しかし農民からすれば働かされるだけで嫌だっただろう。このことに反抗する農民はいなかったのだろうか。反抗できないくらい目上の人だからだろうか。尊敬してるから反抗したくなかったのかもしれない。

図9　子どもたちが作成した連続資料

ステップ⑧

創造した情報を発信する（資料を基に考えを共有する）

ステップ⑧では，作成した連続資料を見せながら，「三人の武将と天下統一」の単元について伝え合いました。はじめは，ペアをつくり，1対1で伝え合う活動を行いました。子どもたちは，自分が作成した連続資料を相手に見せながら，話している部分を指し示したり，受け手の反応を見ながら，うまく伝わっていないと判断した場合，もう一度その部分について話したり，情報を付け加えたりしながら伝える姿が見られました。また，情報を受け取る子どもは，話し手の情報と自分の情報の共通する部分や異なる部分を比較しながら聞き，気づいたことを話し手に伝える姿が見られました。

図10　連続資料を基に伝え合う様子

一人と交流が終わったら次の交流相手を探して，できるだけ多くの友だちと，何度も交流を続けるように指導することで，自分が気づかなかった考えや情報に出会うことができたり，連続資料にまとめた自分の考えや情報を何度も話すことで，この単元についての知識を定着させたりすることにつながりました。

ペアでの交流を20分間ほど行った後は，交流し，気づいたことを学級全体で共有しました。学級全体で共有する際は，問いや重要語句を中心に，それぞれの語句について説明する時間を設定しました。このように説明する時間を学級全体で共有することにより，この単元で理解すべき事柄についての知識をしっかりと身につけることに繋がったと思います。

ステップ⑨

単元の学習を振り返る（学習計画，ノートや文書資料を基に振り返る）

ステップ⑨では，単元のはじめに作成した学習計画を基に，単元の学習を振り返る時間を設定しました。単元の学習を振り返ることについては，1時間1時間の学習を想起し，その時間の教科の目標は達成したのか，また，その時間の学習方法は適切であったのかについて振り返りました。

この活動では，まず個別に振り返る時間を設定し，その後に，学級全体で交流しました。このように，単元の学習を振り返ることで，「重要語句の情報を集めることに時間をかけすぎてしまった」「情報を集める場面では，教科書や資料集の情報から深めたい部分をインターネットで検索する方法が良かった。なぜなら，検索ワードを絞って検索することで，欲しい情報が早く見つかったからだ」「連続資料にまとめる場面では，その前の活動で構造化したものをうまく活用することができた。関連付けた情報に自分の考えを入れ，構造化することはとても大切な活動だと思った」など，様々な場面の成果や課題について気づく姿が見られました。

このような具体的な気づきが，次の単元での学習や，他教科での学習に結びつくと思います。

単元縦断型算数科授業

小学校６年生「比例と反比例」

	課題設定		収集	整理・分析			まとめ・表現		
単元縦断型基本パターン	①問いを見出す。	②解決策を考える。	③情報を収集する。	④情報を関連付ける。	⑤情報を吟味する。	⑥考えをつくる。	⑦新たな価値を創造する。	⑧創造した価値を発信する。	⑨単元の学習を振り返る。
算数科の学習活動	単元目標から問いを見出す。	学習計画を立て，解決の見通しをもつ。	問題文から情報を収集する。	問題文の情報と情報，情報と知識を関連付ける。	関連付けた情報を基に，問題を解く。	解決方法の解説ができるように考える。	単元テストを作成する。	単元テストを解き合う。	学習計画や記録，テストを基に振り返る。
情報活用能力	収集力	計画力	収集力，保存・共有力	整理・比較力	分析力	整理・比較力	表現力，保存・共有力	発信・伝達力	評価・改善力

図１　小学校算数科の単元縦断型授業構成図

図１は，小学校算数科の単元縦断型授業構成図です。本項では，小学校６年生「比例と反比例」（啓林館）を例に挙げ，単元縦断型算数科授業について解説します。

本単元では，「ともなって変わる２つの数量について詳しく調べていこう」が単元の目標として教科書に示されています。この課題を基に，子どもたちの知識や技能が定着し，思考力・判断力・表現力を高め，主体的に学びに向かう力を育成するため，単元の最後に学習したことを復習できるテスト問題を作成するという課題を提示しました。

算数科の単元縦断型授業の特徴は，ステップ①②の後，問題ごとにステップ③④⑤⑥を繰り返し実施するという点です。つまり，教科書の構成が

・変わり方を調べる問題（比例）
・比例の式についての問題
・比例のグラフについての問題
・表，式，グラフの関係についての問題（比例）
・変わり方を調べる問題（反比例）
・反比例の式についての問題
・反比例のグラフについての問題
・表，式，グラフの関係についての問題（反比例）

となっており，これらの一つ一つの問題で，ステップ③④⑤⑥を実施したということです。そして，単元の最後に全ての問題で学んだことを総合してステップ⑦⑧⑨を実施しました。

ステップ①

問いを見出す（単元目標から問いを見出す）

ステップ①では，単元名の「比例と反比例」と，単元のめあてとして教科書に示された単元の目標である「ともなって変わる 2 つの数量について詳しく調べていこう」と，さらに，「比例と反比例について学習します。単元の最後に毎時間の振り返りをうまく活用して，学習したことを復習できるテスト問題を作成してください」という単元課題を示しました。

次に，ここで示した「単元名」「単元の目標」「課題」を基に，本単元の学習についての問いを考え，共有する時間を設定しました。共有された問いは「ともなって変わるとはどのような変化のことなのだろうか」「2 つの数量を調べるときに，どのように整理すればわかりやすいのだろうか」「テスト問題を作るときにどのようなことに気をつければよいのだろうか」「毎時間の振り返りをどのように記述すればテスト問題を作成する際に生

かされるだろうか」などの問いが共有されました。

このように子どもたちから出された問いを，ベン図を使って学級全体で「教科の内容につながる問い」と「学習の方法に関する問い」に分類しました。

ステップ②

解決策を考える（学習計画を立て，解決の見通しをもつ）

ステップ②では，分類された問いを基に，解決策を考えました。

解決策を考える際に，本単元の構成と，子どもたちが取り組む問題を整理した学習計画のワークシートを配付しました。学習計画のワークシートに取り組む問題を掲載したのは，教科の内容につながる問いについての解決策を考える上で取り組む問題を参照しなければ，見通しをもつことが難しいと考えたからです。

子どもたちは，配付されたワークシートを参照しながら，「この時間に比例のグラフについて学ぶ時間があるから，ここで２つの数量の整理の

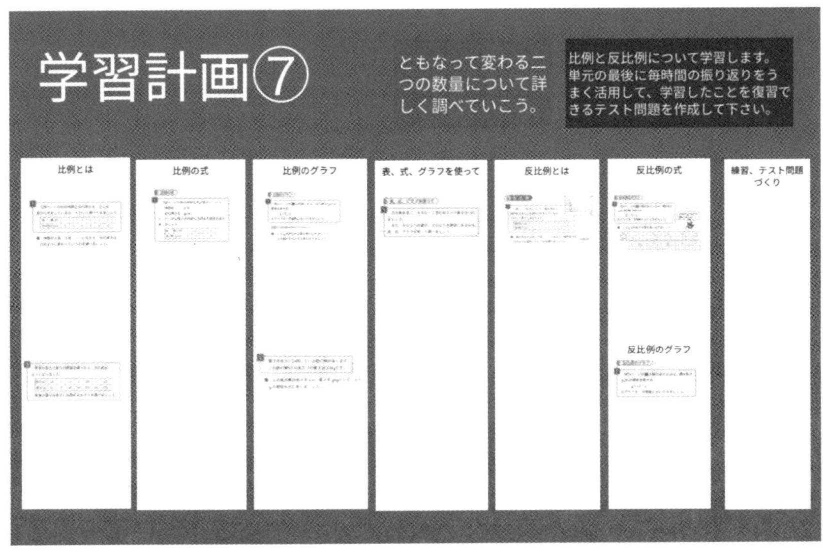

図２　子どもに配付した学習計画のワークシート

仕方を解決することができるね」といったように，問題文を参考にして問いを解決する見通しを立てる姿が見られました。また，学習方法についての見通しとして，それぞれの時間の最後に，その時間に取り組んだ問題を通して身につけた知識，技能についての記録に残すことが重要であることを確認する姿が見られました。

このように解決策の見通しについて考えたことを，一人一人の子どもが図２のワークシートの空白部分に記述をし，本単元の学習計画を作成することができました。

ステップ③④⑤⑥

情報を収集する（問題文から情報を収集する）
情報を関連付ける（問題文の情報と情報，情報と知識を関連付ける）
情報を吟味する（関連付けた情報を基に，問題を解く）
考えをつくる（解決方法の解説ができるように考える）

水槽に水を入れたときの，時間と水の深さは，どんな変わり方をしているのか詳しく調べてみましょう。（筆者が一部変更）

時　　間（分）	1	2	3	4	5	6	
水の深さ（cm）	2	4	6	8	10	12	

図３　子どもたちが取り組んだ問題例

算数科では，一つ一つの問題ごとにステップ③～⑥を行いました。学習計画を立てた次の時間に取り組んだ問題（図 2）で例を示します。

まず，問題文から，水槽に水を入れたときの時間と水の深さがどのような変わり方をしたのかを調べることが課題であるという情報を収集します。算数科では，短い問題文から必要な情報（問われていること，それを導き出すことにつながる言葉や数値）を見つけ出すことが重要です。次に，問題文の言葉と言葉，言葉と図や表，それらとつながる情報を関連付けて考える必要があります。この問題では，問題文の言葉と表を関連付けて考えます。文中の「時間」と「水の深さの変わり方を調べる」という言葉・文章と，表の表側に示されている「時間（分）」「水の深さ（cm）」の数値の変化を関連付けて問題を読み取っていきます。このときに，これまでに学習した表の読み取り方についての知識や比例についての知識と関連付けることで，解決の見通しにつながります。

次に，関連付けた情報（問題文，表に示されている数値，これまでの知識）を吟味します。この問題の場合，表に示されている2つの数値の変化を比較して情報を吟味します。ここで子どもたちは，「表を横に見ると，時間は1分ずつ増え，水の深さは2cmずつ増えていることがわかる」「表を縦に見ると時間の2倍が水の深さになっている」などのことに気づきました。これらの気づきを，考えとして他者にわかりやすく伝える工夫をするように指示しました。子どもたちは，自分の考えを他者にわかりやすく伝えるために，表に矢印などの印を付けたり，付けた矢印などを説明するための言葉を書き込んだりして解決方法の解説ができるように考える姿が見られました。

最後に，問題の解決方法について考えを交流する時間を設定し，それぞれの考え方の共通する部分や異なる部分を出し合う中で，比例・反比例に関する理解を深めていきました。交流後は，取り組んだ問題を基に，この時間にどのようなことを学んだのかを振り返りのワークシートに記述し，学習の記録を残して次の授業に繋げました。

ステップ⑦

新たな価値を創造する（単元テストを作成する）

ステップ⑦では，子どもたちが，授業の最後に記述してきた振り返りやこれまでに取り組んだ教科書の問題などを参照しながら，学習したことを復習できるテスト問題を作成しました。

子どもたちは，まず，これまでの学習で自分が考えたことを想起するために，毎時間の学習の振り返りや問題解決の際に記述したことを見返し，どのような問題がつくれるのかを考えました。

問題を作成する際は，教科書の問題を参考にしながら，問題の数字や文章を変えて問題を作成したり，様々な問題を組み合わせて一つの問題をつくったり，本やインターネットに掲載されている問題を参考にして少し難易度の高い問題をつくったりする姿が見られました。

図４　タブレット PC でのテスト問題の作成

問題の作成者が解決できない問題を作成するわけにはいかないので，子どもたちは，問題をつくりながら「この問題は本当に解けるのか」「この問題の答えはどうなるのか」と言いながら，つくった問題を解答するなど

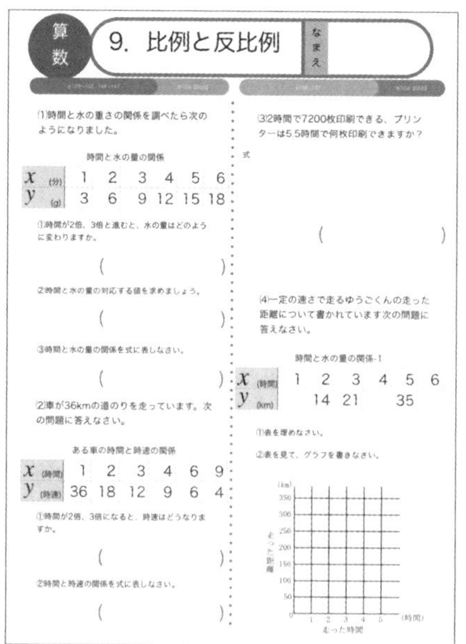

算数　9. 比例と反比例　なまえ

(1)時間と水の重さの関係を調べたら次のようになりました。

時間と水の量の関係

x (分)	1	2	3	4	5	6
y (g)	3	6	9	12	15	18

①時間が2倍、3倍と進むと、水の量はどのように変わりますか。

(　　　　)

②時間と水の量の対応する値を求めましょう。

(　　　　)

③時間と水の量の関係を式に表しなさい。

(　　　　)

(2)車が36kmの道のりを走っています。次の問題に答えなさい。

ある車の時間と時速の関係

x (時間)	1	2	3	4	6	9
y (時速)	36	18	12	9	6	4

①時間が2倍、3倍になると、時速はどうなりますか。

(　　　　)

②時間と時速の関係を式に表しなさい。

(　　　　)

(3)2時間で7200枚印刷できる、プリンターは5.5時間で何枚印刷できますか？

式

(　　　　)

(4)一定の速さで走るゆうごくんの走った距離について書かれています次の問題に答えなさい。

時間と水の量の関係-1

x (時間)	1	2	3	4	5	6
y (km)		14	21		35	

①表を埋めなさい。

②表を見て、グラフを書きなさい。

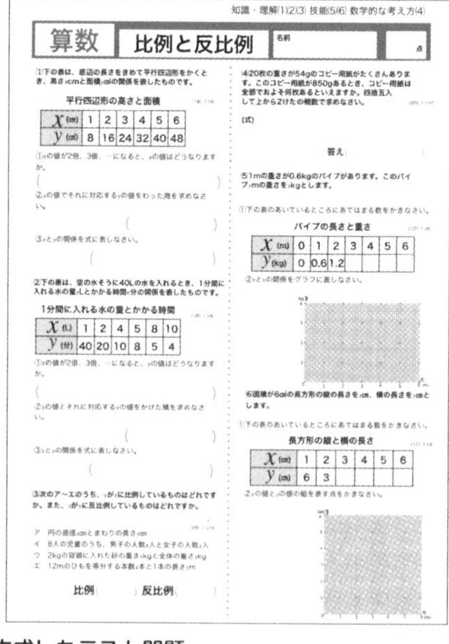

知識・理解(1)(2)(3) 技能(5)(6) 数学的な考え方(4)

算数　比例と反比例　名前　点

(1)下の表は、底辺の長さをきめて平行四辺形をかくとき、高さxcmと面積y㎠の関係を表したものです。

平行四辺形の高さと面積

x (cm)	1	2	3	4	5	6
y (㎠)	8	16	24	32	40	48

①xの値が2倍、3倍、…になると、yの値はどうなりますか。

(　　　　)

②xの値でそれに対応するyの値をわった商を求めなさい。

(　　　　)

③xとyの関係を式に表しなさい。

(　　　　)

(2)下の表は、空の水そうに40Lの水を入れるとき、1分間に入れる水の量xLとかかる時間y分の関係を表したものです。

1分間に入れる水の量とかかる時間

x (L)	1	2	4	5	8	10
y (分)	40	20	10	8	5	4

①xの値が2倍、3倍、…になると、yの値はどうなりますか。

(　　　　)

②xの値とそれに対応するyの値をかけた積を求めなさい。

(　　　　)

③xとyの関係を式に表しなさい。

(　　　　)

(3)次のア～エのうち、yがxに比例しているものはどれですか。また、yがxに反比例しているものはどれですか。

ア　円の直径xcmとまわりの長さycm
イ　8人の児童のうち、男子の人数x人と女子の人数y人
ウ　2kgの容器に入れた砂の重さxkgと全体の重さykg
エ　12mのひもを等分する本数x本と1本の長さym

比例(　　　)　反比例(　　　)

(4)20枚の重さが54gのコピー用紙がたくさんあります。このコピー用紙が850gあるとき、コピー用紙は全部でおよそ何枚あるといえますか。四捨五入して上から2けたの概数で求めなさい。

(式)

答え(　　　)

(5)1mの重さが0.6kgのパイプがあります。このパイプxmの重さをykgとします。

①下の表のあいているところにあてはまる数をかきなさい。

パイプの長さと重さ

x (m)	0	1	2	3	4	5	6
y (kg)	0	0.6	1.2				

②xとyの関係をグラフに表しなさい。

(6)面積が6㎠の長方形の縦の長さをxcm、横の長さをycmとします。

①下の表のあいているところにあてはまる数をかきなさい。

長方形の縦と横の長さ

x (cm)	1	2	3	4	5	6
y (cm)	6	3				

②xの値とyの値の組を表す点をかきなさい。

図５　子どもたちが作成したテスト問題

確認しながら，テスト問題を作成する姿が見られました。このような方法で，それぞれの子どもたちが複数の問題を作成することに挑戦したことで，この単元で学習したことをほぼ網羅しているテスト問題を作成することができました。このような子どもたちの様子から，テスト問題を作成するという課題が，この単元で学ぶ学習内容に対する理解を深めることに繋がったと思います。

ステップ⑧⑨

創造した価値を発信する（単元テストを解き合う）
単元の学習を振り返る（学習計画や記録，テストを基に振り返る）

ステップ⑧では，子どもたちが作成したテストを共有し，お互いの問題を解き合いました。友だちの問題に対する解答は，その問題を作成した人に送信しました。問題を作成した子どもは，他者の解答を受け取ると，丸付けをし，誤答には解説を付けて返信するようにしました。このように自作したテスト問題を解き合う活動を行うことで，積極的に友だちの問題に取り組んだり，友だちから送られてきた解答を丁寧に確認し，相手が理解できるように説明を書いたりして返信する姿が見られ，比例・反比例についての理解を深めることができました。

この活動の後，単元を振り返る活動として，タブレット PC に蓄積されている学習の記録や，作成したテスト問題などを見直し，学習内容について振り返りました。また，単元の初めに作成した学習計画を見返しながら，学習をうまく進めることができたのか，それぞれの時間に学習の振り返りをわかりやすく記述することができたのかについても振り返ることができ，本単元の学習内容や方法についてまとめることができました。

図 6　友だちが作成したテスト問題に取り組む様子

単元縦断型理科授業

小学校６年生「水溶液の性質」

	課題設定		収集	整理・分析			まとめ・表現		
単元縦断型基本パターン	①問いを見出す。	②解決策を考える。	③情報を収集する。	④情報を関連付ける。	⑤情報を吟味する。	⑥考えをつくる。	⑦新たな価値を創造する。	⑧創造した価値を発信する。	⑨単元の学習を振り返る。
理科の学習活動	課題，単元名から問いを見出す。	課題や問いをもとに学習計画を立てる。	実験から情報を収集する。	実験結果の関連を整理する。	理科の見方・考え方で再整理する。	再整理された情報から考察をつくる。	考えを組み合わせ動画資料をつくる。	動画資料を視聴し合い考えを共有する。	学習計画や記録，実験動画を基に振り返る。
情報活用能力	収集力	計画力	収集力，保存・共有力	整理・比較力	分析力	整理・比較力	表現力，保存・共有力	発信・伝達力	評価・改善力

図１　小学校理科の単元縦断型授業構成図

図１は，小学校理科の単元縦断型授業構成図です。本項では，小学校６年生「水溶液の性質」（大日本図書）を例に挙げ，単元縦断型理科授業について解説します。

「水溶液の性質」の単元は，子どもが実験を通して学びます。実験では，反応の様子を観察し，そこから得られた情報や結果を基に考察します。この単元構成の特徴は，単元課題から，本単元の見通しをもち，複数の実験結果を関連付け，それらを吟味して得た事実と考えを基に新たな価値として実験動画を創造することです。

ステップ①

問いを見出す（単元課題，単元名から問いを見出す）

ステップ①では，子どもが問いを見出すことができるように，まず，単元名である「水溶液の性質」という言葉から，知っていること（知識）や，思うこと，ひっかかること（考え）を交流しました。

このように交流をすることで，既習事項や日常生活から知っている，「アルカリ性」「酸性」「食塩水」「砂糖水」といった本単元のキーワードが出てきました。また，単元名やこれらのキーワードを足がかりとして，「どのような液体を水溶液と呼ぶのか」「アルカリ性，酸性とはどのようにして調べるのか」などの問いも出てきました。

単元名から，知っていることやひっかかったことを交流することで本単元に対するイメージを広げ，共有することができました。

次に，本単元について具体的な見通しをもつことができるよう，単元を貫いて追究する単元課題を提示しました。

この単元の課題は「水溶液を区別するにはどのようにすればよいのかについて学びます。学んだことを 1 分間の実験動画にまとめ，水溶液の性質についてクラス全員の理解が深まるように伝えましょう」としました。

この単元課題では，はじめに「水溶液を区別することができるようになる」という教科の目標を示しました。次に，「1 分間の実験動画にまとめ，水溶液の性質についてクラス全員の理解が深まるように伝えましょう」として，学んだことを表現する手段を示しました。

このように学んだことを表現する手段を明確にすることで，実験中の情報収集の方法を子どもたちが工夫すると考えたからです。このような課題が示されずに実験を行った場合，子どもは実験の様子を観察しながら，反応の様子を表などに整理して記録すると考えられます。しかし，単元の最後に「実験動画にまとめる」となるとどうでしょう。実験結果を表に整理する際も，動画にしたときにわかりやすいように考えて表を作成すると考えられます。また，実験中の反応の様子を動画に記録したり，実験結果を静止画で撮影したりするなど，実験動画を作成する上で，どのような情報が必要であるかと考えて，情報を収集するようになるのです。最後に，「クラス全員の理解が深まるように」という言葉から，実験方法を図で解説したり，考察の文章をできるだけ短くわかりやすく表現したりするなどの工夫をするのではないかと考えました。

このように，本実践では，教科で理解すべきことと，それをどのように表現するのかを明確にした単元課題を示すことで，単元の見通しを具体的にもてるようにしました。

ステップ②

解決策を考える（課題や問いを基に学習計画を立てる）

ステップ②では，課題や問いを解決するための学習計画を考える活動を行いました。

単元の最後に，「実験動画にまとめる」という課題が設定されたことで，子どもたちは，実験中に，動画を作ることができる情報を収集しなければならなくなりました。子どもたちが，実験動画を作成する際に使える情報を収集することができるように，実験をする前に，学習計画を立て，実験中にどのようにして情報を集めるのか，また，実験結果をどのように整理し，まとめるのかを考える時間を設定しました。

学習計画を立てる際に，本実践では，図２を子どものタブレットPCに配付しました。

理科で学習計画を立てる際は，「その単元で何を学ぶのか（めあて）」と，「どのような実験をして明らかにするのか（方法）」ということを示す必要があります。このワークシートでは，教科書を基に「水溶液の性質」について知る活動，「何が溶けているのかを調べる」活動，「金属を溶かす水溶液」について知る活動に分けて示しました。そして，それらを明らかにする実験方法を，教科書の実験例を引用して示しました。また，子どもが学

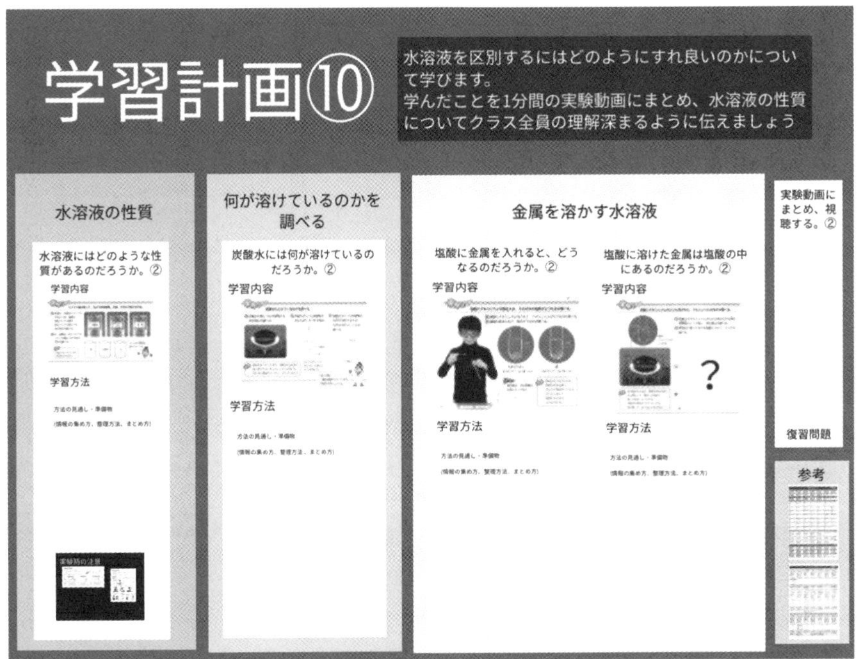

図２　学習計画を考えるためのワークシート

習計画を立てる際に参照できるように，実践カードも添付しました。これらの情報を手立てに，子どもに，「学習方法」と書かれた部分に，学習の計画を記述するように指示しました。

本実践ではグループで実験を行いましたので，この部分に，「役割分担」や，「実験時の記録や情報の整理方法」について記述する姿が見られました。ここで子どもが記述した「役割分担」は，主に，準備や片付けの役割分担，実験を進める際の役割分担，情報を記録する際の役割分担でした。また，「実験時の記録や情報の整理方法」は，実験中に結果を素早く記録することができるように実験の様子を経過時間とともに記録することができる図や，実験結果をわかりやすく整理するための表などをグループで相談しながら作成していました。さらに，「実験時の記録や情報の整理方法」について考える際は，ワークシートに添付された実践カードを参照しながら，適切なシンキングツールを選んだり，シンキングツールの形を記録しやすいように変化させたりして，情報をうまく整理することができるように工夫する姿が見られました。

このように，ワークシートに活動のめあてと実験方法を示すことで，子どもたちが，それを参照しながら，主体的に学習を進めていくことができました。しかし，ワークシートを作成する際に，実験方法などを丁寧に示しすぎると実験の結果が予想できてしまう場合があります。実験をする前から結果がわかってしまうと実験に対する興味や意欲が損なわれます。ワークシートを作成する際は子どもが学習の見通しをもつことができ，なおかつ，興味や意欲を損なわない程度の情報を示すことが重要です。

ステップ ③④⑤

情報を収集する（実験から情報を収集する）
情報を関連付ける（実験結果の関連を整理する）
情報を吟味する（理科の見方・考え方で再整理する）

ステップ③～⑤は，グループでの実験を通して実施しました。この単元では，実験を４度行います。一つ一つの実験で情報を収集した（ステップ③）後に，実験結果を関連付け（ステップ④），関連付けた情報を吟味して（ステップ⑤），実験からわかったこと（考察）を記録しました。

実験を行う際は，ステップ②で考えた，役割分担をもとに，子ども主体で実験の準備がはじまりました。学習計画を立てる際に，実験の進め方についてグループで十分に議論することができていたので，４度の実験とも，全てのグループが手際よく実験準備を進めていました。

実験は実験準備が終わったグループからはじまりました。「水溶液の性質」

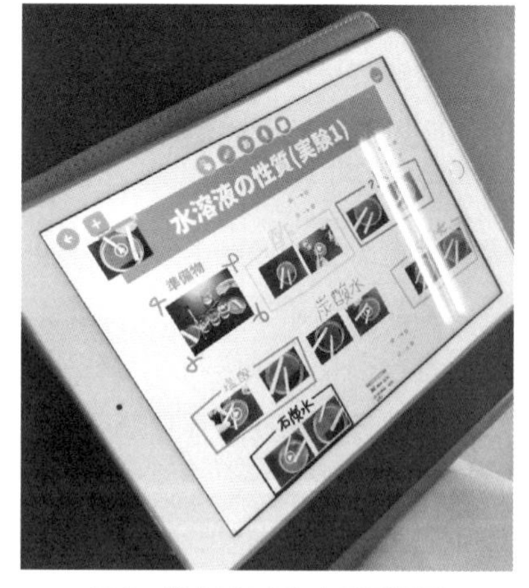

図３　静止画を用いた実験結果

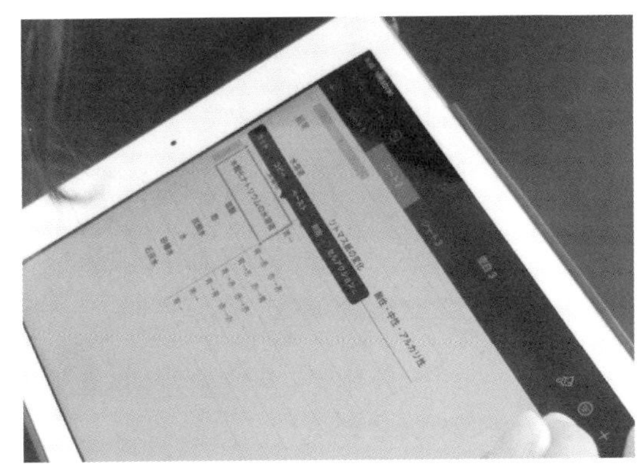

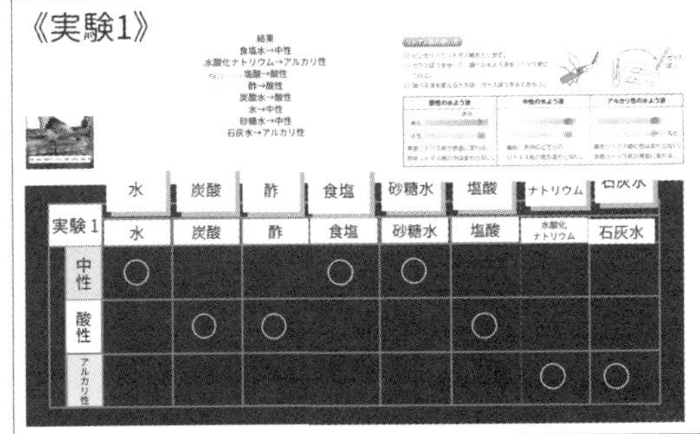

《実験1》

結果
食塩水→中性
水酸化ナトリウム→アルカリ性
塩酸→酸性
酢→酸性
炭酸水→酸性
水→中性
砂糖水→中性
石灰水→アルカリ性

実験1	水	炭酸	酢	食塩	砂糖水	塩酸	水酸化ナトリウム	石灰水
中性	○			○	○			
酸性		○	○			○		
アルカリ性							○	○

図4　表を用いた実験結果の記録

について調べる実験では，リトマス紙を使って３つの水溶液の酸性，中性，アルカリ性を調べました。この実験に関しては，実験中に大きな変化が起こるものではないことから，多くのグループが静止画で実験の様子を撮影して情報を集めていました。あるグループの子どもたちは，リトマス紙の上に水溶液をたらし，反応を見た後に静止画を撮影し，事前に作成した記録用のワークシートに貼りつけていました(図3)。また，水溶液の性質（酸性，中性など）と調べる水溶液の名称（水，炭酸水，酢など）を入力した記録用のファイルを表計算ソフトなどで作成し，実験を進めながら結果を入力するグループもありました（図4)。

このようにそれぞれのグループが，様々な方法で実験の様子を記録していましたが，どのグループも，リトマス紙の変化と水溶液の性質を関連付け，一つ一つの実験結果を吟味しながら，水溶液を「酸性」「中性」「アルカリ性」に分類する姿が見られました。

次に,「何が溶けているのかを調べる」実験,「金属が溶けている水溶液」についての実験では，実験の様子を，静止画や動画で撮影する姿が見られました。

子どもたちが動画で撮影することを判断したのは，実験中に起こる反応が大きく，動画で記録することが，実験動画を作成する上で，最も わかり

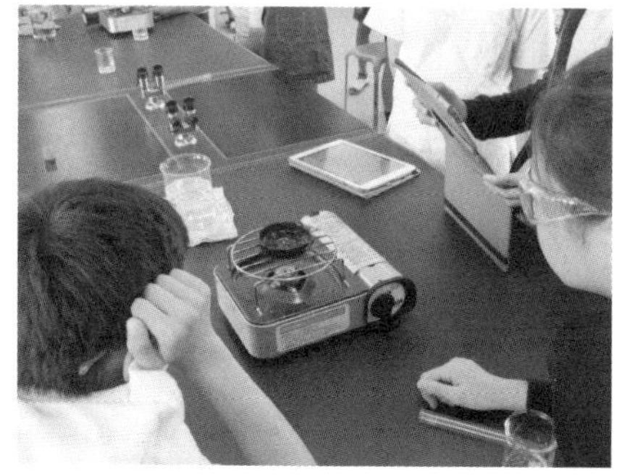

図５　動画で実験を記録する様子

やすい情報になると考えたからです。この活動でも，子どもたちはグループで役割分担（実験を進める人，動画で記録する人，表に文章で記録する人など）をして実験を進めていました。このように，子どもたちが実験の様子を動画で撮影したのは，単元課題で実験動画にまとめるという課題が提示されていたからです。単元課題があることによって，実験の結果について理解するだけではなく，実験で起こっている現象を他者にわかりやすく伝えるにはどのようにすればよいのかということを，常に考えながら実験に取り組む姿が見られました。

実験が終わった後は，撮影した静止画と動画，その時の状況を記録したメモを関連付けながら実験結果を吟味して考察を記述する姿が見られました。子どもたちの記録を見ると，一枚のワークシートに動画の情報と静止画の情報，それらの情報からわかったことを文章で記録しているグループや，静止画と動画（結果）と文章（考察）を表に整理して記録しているグループなどがあり，様々な方法で情報を整理する姿が見られました。このように整理の仕方はグループによって個性が見られましたが，どのグループも，集めた情報と情報を関連付け，そこからわかることを表現するために，実験中に撮影した動画や記述した記録を見直し，情報を吟味して考察を書く姿が見られました。

ステップ ⑥⑦

考えをつくる（再整理された情報から考察をつくる）
新たな価値を創造する（考えを組み合わせ，動画資料をつくる）

ステップ⑥，⑦は，実験動画を作成しました。まず，子どもたちは，それぞれの実験結果を動画で解説するために，集めた動画や静止画，結果を整理した表，情報を吟味して書いた考察の文章を基に実験動画の構造を考える姿が見られました（ステップ⑥「考えをつくる」）。このように実験動画の構造をグループで話し合った後に，役割分担をして動画を作成していました（ステップ⑦「新たな価値を創造する」）。あるグループでは，撮影した動画を，実験結果が短時間でわかるように編集し，その動画の後に結果を表に整理して解説していました。また，他のグループは，実験の概要を示した後に，実験での反応の様子を静止画とその静止画を説明する文章

図６　動画を作成する様子

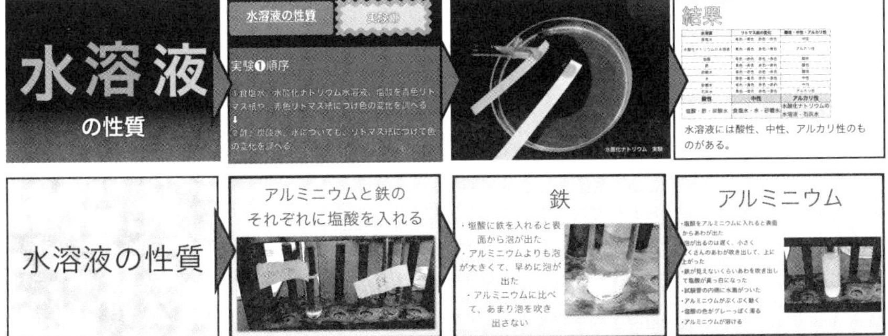

図７　子どもたちが作成した動画キャプチャの抜粋

で解説していました。図7は，2つのグループが作成した動画の一部をキャプチャしたものです。図7のようにどのグループも実験の概要，実験の様子，結果，考察に音楽やナレーションを入れ，わかりやすく工夫してまとめることができました。

ステップ⑧⑨

創造した価値を発信する（動画資料を視聴し合い考えを共有する）単元の学習を振り返る（学習計画や記録，実験動画を基に振り返る）

ステップ⑧，⑨では，作成した実験動画を鑑賞し，本単元の学習を振り返る活動を実施しました。動画を鑑賞する際は，それぞれの動画の良いところ，次回動画を作る際には改善したほうがよいと思うところなどをメモしながら鑑賞するようにしました。そのように鑑賞することで，「実験結果のところで実験の動画を早回しにしていたから，変化の様子が短時間で見ることができ，とてもわかりやすかった」「実験結果を表にしていたので，理解しやすかった」などの良かったところや，「説明の文章が長いのに，画面が早く切り替わって読めなかった」などの改善点を交流することができました。また，他のグループが作成した動画を見ることで，本単元で理解すべき知識を改めて確認することができ，教科内容の理解も深まりました。

最後に，本単元の学習を振り返るために，学習計画を参照しながら単元の振り返りを行ったところ，「グループで計画を立てたことで，実験などを協力してスムーズに行うことができた」「最後に動画にまとめるために，どのように記録を取るかを考え，協力して実験を進めることができてよかった」などの振り返りがみられました。これらのことから単元課題を設定したことと，課題を達成するために計画を立て，見通しをもってから学習をスタートしたことが子どもの主体的・対話的な学びに繋がったのではないかと考えます。

単元縦断型メディア・コミュニケーション科授業

小学6年生「私たちの町のみ力を発信しよう」

	単元縦断型基本パターン	MC科の学習活動	情報活用能力
課題設定	①問いを見出す。	伝えたい場所，相手，方法を決める。	収集力
	②解決策を考える。	学習計画を立て，解決の見通しをもつ。	計画力
収集	③情報を収集する。	伝える場所の情報を収集する。	収集力，保存・共有力
整理・分析	④情報を関連付ける。	収集した情報を関連付ける。	整理・比較力
	⑤情報を吟味する。	関連付けた情報を構造化する。	分析力
	⑥考えをつくる。	作品を制作し，評価を受け改善策を考える。	整理・比較力
まとめ・表現	⑦新たな価値を創造する。	作品を改善し，新たな価値を創造する。	表現力，保存・共有力
	⑧創造した価値を発信する。	作品を発信する。	発信・伝達力
	⑨単元の学習を振り返る。	学習計画や作品を基に振り返る。	評価・改善力

図1　MC科の単元縦断型授業構成図

京都教育大学附属桃山小学校では，平成23年度から4年間にわたり，文部科学省研究開発指定を受け，小学校課程における情報教育を核とする新教科「メディア・コミュニケーション科（以下MC科）」を開発しました。MC科は，その後，平成27年度から文部科学省教育課程特例措置校の指定を受け，令和2年の現在も研究が継続されています。同校では，MC科の開発に伴い，平成 27 年度に本教科の学習指導要領試案や実践事例集を作成しています。また，平成 30 年度には，MC 科の教科用図書を開発し，それを基に全学年で授業が実施されています（図 2)。

図 2　MC 科教科書

本実践では，MC 科 6 年生「私たちの町のみ力を発信しよう」の単元で実施した実践について紹介します。MC 科では，6 年間を通して様々なメディアを活用してコミュニケーションの在り方について学びます。本単元では，子どもたちが住む町の魅力について「伝えたい内容」「伝えたい対象」「伝える方法」を子どもたちが選択して「町の魅力を伝える作品」を作成します。「伝えたい内容」とは，子どもたちが住む町で伝えたいと思う建物（お寺や神社など），場所，食べ物，伝統文化などです。「伝えたい対象」とは，他校の子どもたち，観光に来られた方々，本校の交流相手である台湾及びオーストラリアの学校の子どもたちなどです。「伝える方法」とは，MC 科の学習で学んできたポスター，新聞，パンフレット，CM，電子書籍などです。

本項では，子どもたちが，自分たちの住む町の魅力を伝える作品を作成し，発信するに至るまでの実践について紹介します。

ステップ ①

問いを見出す（伝えたい内容，対象，方法を決める）

本単元は，MC 科の最後の単元です。そのため，子どもたちが，伝えたい内容（場所），伝えたい対象（相手），そして，今までに経験してきた方法（メディア）を自ら選択して学習を進めていきます。本実践では，3 人グループをつくり，相談して内容・対象・方法を決めることにしました。

伝えたい内容は，子どもたちが一人一人最も伝えたい場所「清水寺，平等院，京都駅，和菓子のお店など」を選択していました。伝えたい対象は，「交流したオーストラリアの小学生，京都に観光に来られた方々」などグループで相談しながら決めていました。伝える方法も伝えたいことが伝えたい対象に，最も効果的に発信できる方法は何かを考え「動画，ポスター，パンフレット，電子書籍」などを選択していました。

このように，内容，対象，方法を決めた後に，どのように学習を進めていくのかについての問いを交流しました。問いの交流で子どもたちから出たのは「どのような情報が必要なのだろうか」「どのようにまとめれば対象にうまく伝わるのだろうか」「3人で1つの作品を作る上で，大切なことはどのようのことなのだろうか」「いつまでに，どのくらいのことができておく必要があるのだろうか」などでした。

ステップ②

解決策を考える（学習計画を立て，解決の見通しをもつ）

解決策を考えるステップでは，子どもたちに単元計画と作品制作の期限を示し，それを基にGoogleカレンダーで，計画を立てるように指示しました。Googleカレンダーでは，教師が入力した予定を子どもたちにも共有することができる機能があるので，学校の主な行事や，本単元での主

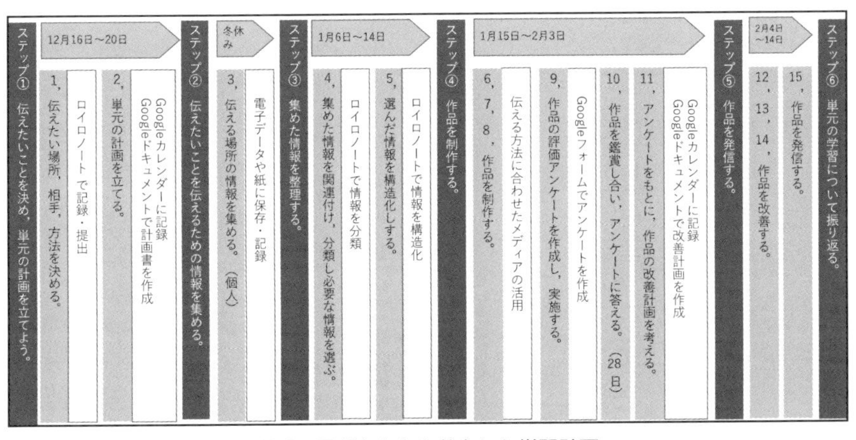

図3 子どもたちと共有した学習計画

な締め切り（この日までに，情報収集を終わらせる，作品を完成させるなど）については，教師がカレンダーに入力して子どもたちと共有しました。

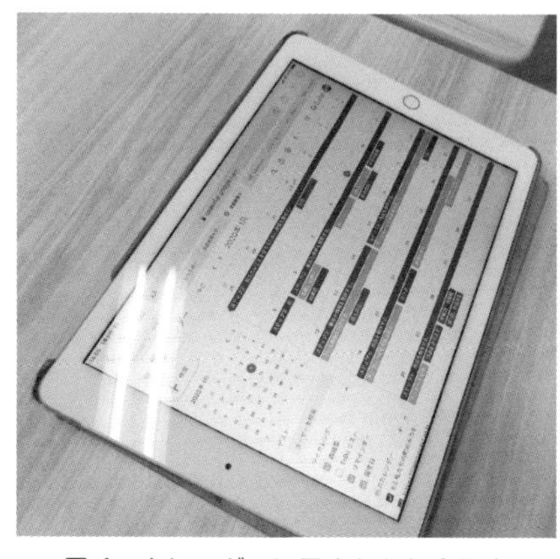
図４　カレンダーに示された行事予定

子どもたちは，図３の学習計画と Google カレンダーに書かれた行事を見ながら，「この日に一緒に情報を集めに行こう」「この日までに情報の関連付けを終え，この日から情報の構造化を始めよう」と，具体的な学習計画を立て，見通しをもつ姿が見られました。

ステップ③

情報を収集する（伝える場所の情報を収集する）

本単元では，情報を収集するステップを子どもたちに任せ，冬休みを利用して情報を収集することにしました。子どもたちはステップ②で，情報を収集しに行く日程をグループの友だちと決めたり，冬休みが明ける前にどのような情報を収集しておく必要があるのかについて話し合ったりする姿が見られました。

冬休みが明け，どのように情報を収集したのかを確認すると，多くの子どもたちが，自分が伝えたいと思っている場所に行き，静止画や動画を撮影したり，現地のお寺や神社の入場チケットやリーフレットを集めたりして持参していました。

ステップ④

情報を関連付ける（収集した情報を関連付ける）

ステップ④では，子どもたちが冬休み中に収集した情報を関連付ける活動を行いました。本単元では，3人で1つの作品を作成しますが，一人一人が別々の場所を紹介します。そのため，一人一人が集めてきた情報を関連付け，共通するテーマを設定することが，作品に統一感をもたらす重要な活動となりました。子どもたちは，自分が収集した情報と友だちが収集した情報を比較しながら，「歴史についての情報は全員が調べてきたから使えそうだね」「全てが共通する情報はなかったけれど，3人が集めた情報をつなげると観光ルートができそうだね」などの意見を交流させながら，どのような作品にするのかについて見通しを立てる姿が見られました。

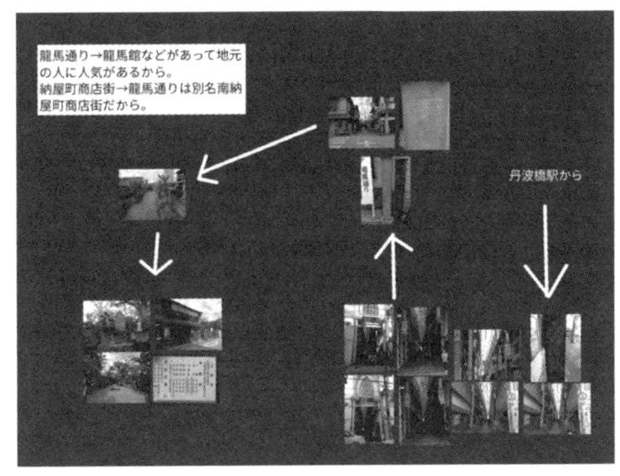

図5　子どもが整理し，関連付けた情報

ステップ⑤

情報を精査する

ステップ⑤では，関連付けた情報を基にどのような内容の作品にするのかについての構造化を行いました。構造化をする際は，関連付いた情報を基に，フィッシュボーン図（図6）やピラミッドチャートをつかって，主張とどの場所をどのようなテーマで紹介するのかを明確にしていく姿が見られました。その際に，調べてきたことの事実だけでなく，現地に行った子どもは，その場所に行って自分が感じたことや驚いたことを入れるように，また，書籍や

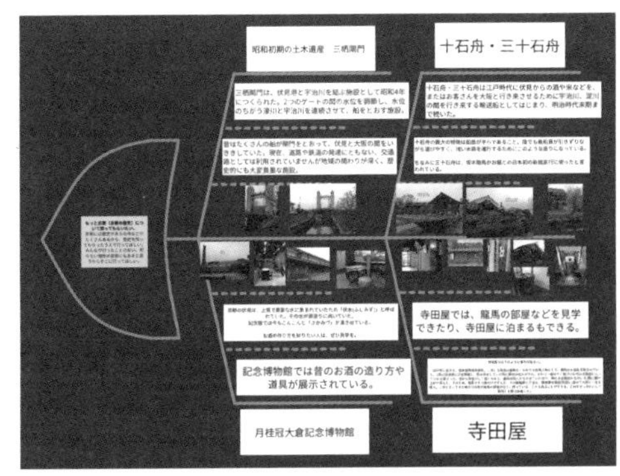

図6　子どもが構造化した情報

インターネットで調べた子どもには，調べているときに思った気づきや疑問が作品に入るように指導をしました。このように子どもたちの思いが作品に入ることで，オリジナリティがあふれる作品になると考えたからです。

ステップ ⑥

考え（作品）をつくる（作品を作成し，他者の評価を受け改善策を考える）

ステップ⑥では，構造化された情報を基に，作品を作成していきました。子どもたちにはグループで協力しながら，タブレット PC でパンフレットの紙面を分担して作成したり，手描きで画用紙にポスターを描いたりする姿が見られました。どのグループも作品を完成させる日程を自分たちで設定しているため，時間内に作品を作り上げることができるように，力を合わせて制作に取り組む姿が見られました。

図 7　ポスターを作成している様子

また，作品の作成と並行して，作品を評価してもらうためのアンケートを Google Form で作成する活動を行いました。なぜなら，MC 科では作品を作って終わりではなく，一度作った作品を他者に評価してもらい，その評価を基に改善させることを重要視しているからです。

図 8　アンケートを作成している様子

誰しも作品をつくりだすと，客観的に見ることが難しくなり，独りよがりの作品になってしまうことがあります。MC 科は，責任を持って情報を発信する力の育成を大切にしている教科であることから，一度作成した作品を他者に検討してもらい，その意見をもとに改善をする活動を設定しているというわけです。

Google Form でのアンケート作成

Google Form でアンケートを作成する際は，子どもたちに知りたいことが知れる質問の作り方，アンケートの回答方法（記述式，選択式），4件法の選択肢の作り方，児童と保護者で別々に分析をすることができるようにアンケートを作成することを指導しました。子どもたちは「改善点について知るためには，改善点を教えてくださいと聞いたほうがよいのではないか」「4件法で聞いた後には，その理由を文章で記述する質問を入れておかなければ，具体的な改善点がわからないのではないか」などの議論を積み重ねて，アンケートを作成していました。

表1は，ある班のアンケートです。まず，質問1で作品全体の印象を4件法（伝わると思う，どちらかと言えば伝わると思う，どちらかと言えば伝わらないと思う，伝わらないと思う）で聞いています。そして，質

表1　子どもたちが考えたアンケート

質問番号	質問	回答方法
1	この作品を，日本人観光客に見せたときに，京都の魅力が伝わると思いますか。	4件法
2	理由を教えて下さい。	記述
3	この作品のわかりやすさはどの程度ですか。	5段階評価
4	その理由を教えて下さい。	記述
5	作品の中のテーマ一つ一つについて魅力が伝わったか評価して下さい。	
	龍馬通り，納屋町商店街	5段階評価
	伏見稲荷	5段階評価
	漢字ミュージアム	5段階評価
6	理由があれば教えて下さい。	記述
7	この作品で良かった点はどこですか。	
	映像の切り替わり，アニメーション，文字の量，文字の大きさ，音楽，写真	複数選択可
8	理由があれば教えて下さい。	記述
9	改善点があれば教えて下さい。	記述

問２で，質問１で答えた理由を聞いています。これらの二つの質問から，子どもたちは，質問１で「どちらかと言えば伝わると思う」「どちらかと言えば伝わらないと思う」「伝わらないと思う」の選択肢を選択した回答者に注目することを意図してこの質問を作成していました。なぜなら，改善点を見出すためには否定的な回答に注目することが重要であると考えたからです。また，子どもたちが肯定的な回答である（どちらかと言えば伝わると思う）にも注目したのは，この選択肢を選択した回答者が，全て良いと評価したわけではなく，若干改善点があると考え，この選択肢を選んでいると考えることができるからです。

次に，質問３では，作品の良さを５段階（5，わかりやすかった～１，わかりにくかった）で評価する質問を設定し，質問４でその理由を聞いています。また，質問５では，テーマごとに５段階で評価する設問を設定し，質問６でその理由を聞いています。これらの質問では，質問３，５で４～１を選択した回答者に着目し，それらを選択した回答者の質問４，６の回答から改善点を見つけるように考えていました。

質問７は，作品の良かった点を，複数の選択肢から選ぶ形式で質問しています。また，質問８で理由を聞いています。これらの質問からは，質問７で回答者が良かった項目を選択することから，選択されなかった項目に着目し，質問８の理由との関係を分析し，改善点を導き出そうと考えていました。

最後に，質問９で改善点を聞いています。この質問からは記述された改善点をカテゴリーで分類し，件数が多いカテゴリーを改善の重要度が高いものであると判断していました。また，件数が少ないものでも改善する必要性があると判断できるものがあれば，改善の重要度を上げていました。

作品を評価し合う

作品とアンケートが完成した後は，他のグループと作品を見合い，アンケートで評価し合いました。また，参観日を利用して保護者の方にも作品を見ていただき，アンケートで評価してもらいました。

作品を評価し合うために，子どもたちが作った作品を Google Drive

に入れ，リンクで共有できるように設定し，そのリンクでQR コードを作成し，印刷して教室の窓や壁に貼り付けました（図 9）。また, アンケートも同じようにリンクで共有できるように設定し，QRコードを作成して貼り付けました。

図 9　共有の準備をしている様子

教室をこのような環境にすることにより，子どもたちも参観に来られた保護者の方々もタブレット PC やスマートフォンで自由に作品を見たり，アンケートに回答したりすることができ，それぞれが主体的に作品を鑑賞し評価することができました。また，保護者の方々が作品を評価される際に，その作品を作った子どもたちに「どんな目的でつくったの」「作るときに難しかったところはどんなところ」などの質問を投げかけられることがありました。それらの質問に対して，子どもたちが，とても嬉しそうにこれまでの学習の様子を保護者の方々に話す姿が見られました。

図 10　保護者に評価をしてもらっている様子

アンケートを分析する

アンケートを分析する際は，まず，短時間で効率よく分析を行うために，分析計画のフローチャートを作成しました。フローチャートでは，どの質問から分析を始めるのか，また，それぞれの質問では，どこに着目して分析を進めるのかについてを明確にしました。例を挙げると「まず，質問 9

の『改善点があれば教えて下さい』の質問から分析する」→「記述を分類し件数を数える」→「件数の多い記述と件数は少ないが重要であると考えられる記述から改善点を見出す」といったように，子どもたちは分析計画のフローチャートを考えていきました。

分析計画を示したフローチャートが完成した後に，それに沿ってアンケートの分析を行いました。分析する際は，児童アンケートと保護者アンケートを別々に分析しました。これは，子どもたちが，子どもと大人で作品に対する見方が違うと予想したからです。分析を行う際は，分析計画のフローチャートと，Google Form の回答結果，改善点の重要度を整理するための座標軸をタブレット PC で作り，分析しました。座標軸は，縦軸に「改善の必要性が高い」「改善の必要性が低い」，横軸

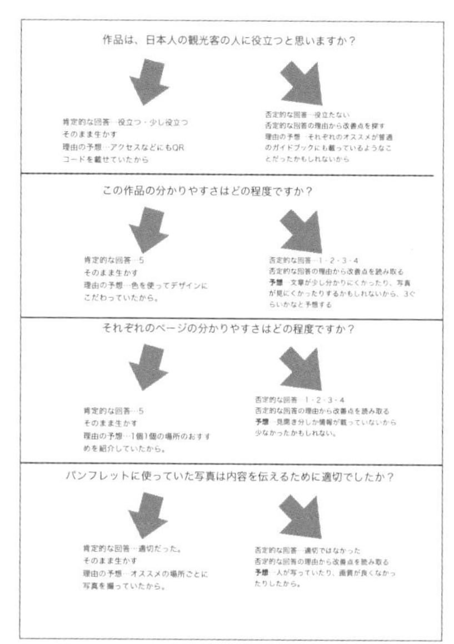

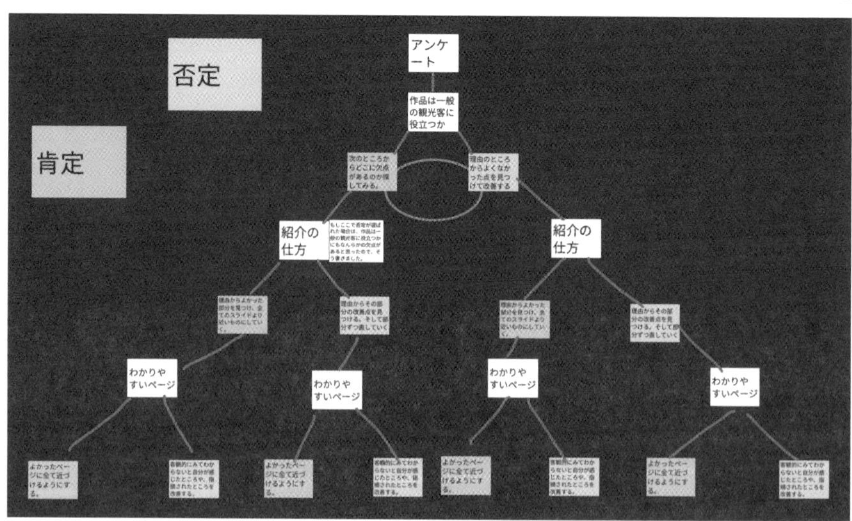

図 11　分析計画を示したフローチャート

に「短時間で改善できる」「改善に時間がかかる」という軸を設定したものを子どもたちに配付しました。子どもたちは，フローチャートの順にアンケートの回答結果から改善点を見出し，見出した改善点を座標軸にプロットしながら，優先順位を決めていっていました。

分析が終わった後，どのような改善点を見出せたかについて交流したところ，「情報量を少なくすること」「タイトルなどをわかりやすく強調すること」「伝えたいことが伝わる写真を選ぶこと」「動画の画面の切り替わりを工夫すること」「作品全体の統一感を出すこと」などの改善点を見出し，共有する姿が見られました。これらの活動を通して，子どもたちは，アンケートをすることで多くの人の意見を聞くことができること，また，アンケートを分析することで作品の改善点を明確にすることができることに気づくことができました。

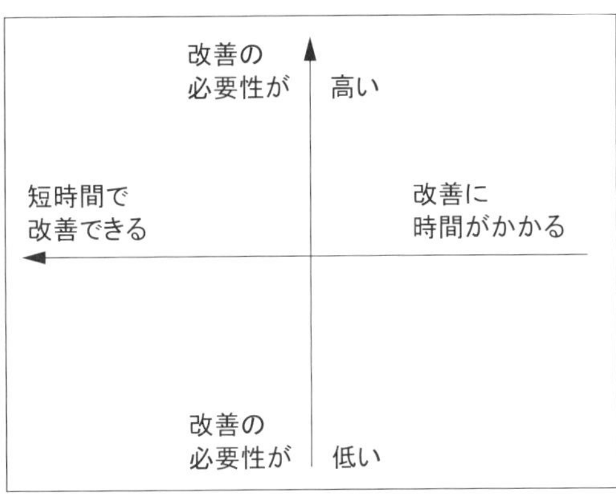

図 12　改善点の重要度を整理するための座標軸

図 13　アンケートを分析する様子

図 14　座標軸に改善点をプロットする様子

ステップ ⑦⑧

新たな価値を創造する（作品を改善し，新たな価値を創造する）
創造した価値を発信する（作品を発信する）

ステップ⑦では，アンケートを分析して明らかになった改善点を基に，作品を改善しました。改善点が明確になっていることから，グループで分担して作品を作り直す姿が見られました。作品を改善しながら，子どもたちは「作品がどんどん良くなっていく」「アンケートの意見を基に直すと，こんなにわかりやすい作品になってきた」などと語り，他者の評価を基に，作ったものを改善することの重要性について改めて気づく姿が見られました。

次に，作品が完成した後は，それぞれの作品の発信方法について考えました。発信する際には，作品に使った静止画や動画，イラストなどの著作権についても考えました。最後に子どもたちが一生懸命作り上げた作品をそれぞれの方法で発信しました。

図 15　作品を改善している様子

ステップ ⑨

単元の学習を振り返る（学習計画や作品を基に振り返る）

ステップ⑨では，本単元で，作り上げた作品や，単元導入時に考えた学習計画を基に学習を振り返りました。まず，振り返る視点について意見交流したところ，内容面では「魅力を発信できる作品ができたか」「アンケートを基に改善できたか」「オリジナリティのある作品になったか」などの視点が出てきました。方法面では「情報の集め方は良かったか」「集めた情報をうまく整理し，まとめるときに活かせたか」「それぞれの方法の特性を活かしてまとめることができたか」などの視点が出てきました。子どもたちはこれらの視点を基に，再度，自分たちが作成した作品や学習計画を見直していました。

この活動で子どもたちが記述していたことには，「アンケートでの指摘を参考にして，デザインを統一したことで動画が見やすくなった。アンケートなどで他者に評価してもらうことはとても重要だと思った」「アンケートに答えてもらって，フローチャートに沿って座標軸に整理することによって，改善点が明確になりどのように改善すればよいのかが一目でわかった」「Google カレンダーを使って計画を立てることで，見通しをもって学習を進めることができた。どのようなことをするにも計画を立てることは重要であると感じた」「アンケートはかなり効果的だった。アンケートからわかった改善点を基に，作品を改善したことで，作品がとても良くなった」「フローチャートでアンケートの回答を予想したから，どのよう

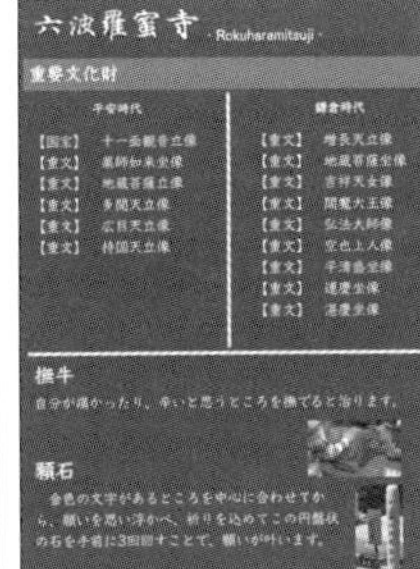

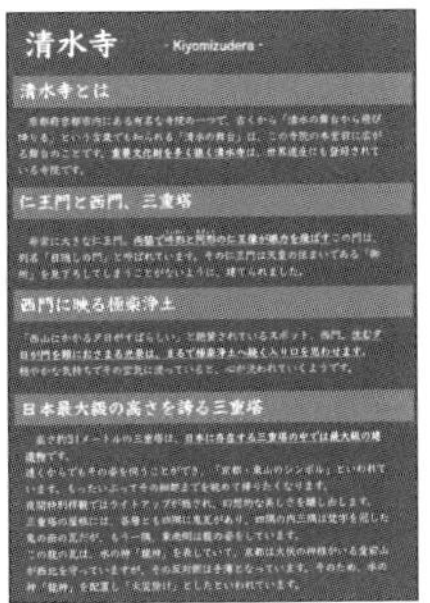

図 16　京都の三区をテーマに作成した作品

図 17　京都の観光ルートの提案をテーマに作成したパンフレット

な順序でどのように分析をすればよいのかがすぐに分かり，効率よく分析をすることができた」などが見られました。

これらの記述から，子どもたちが単元の学習を詳細に振り返ることができたと感じました。単元を通した振り返りが次の学習や日常生活にも活かされていくのではないかと考えます。

4章 単元縦断×教科横断型授業を実現させる教材

本章では，単元縦断×教科横断型授業を実現させるために開発した教材について紹介します。これらの教材を子どもが手元において授業を受けることで，全ての教科・領域で主体的・対話的で深く学ぶ支援となります。

なお，本章で紹介した教材は，AK-Learning のサイトから自由にダウンロード，印刷することができます。また，担任される学級に合わせて作り変えることができるよう，編集ができる形式のファイルも掲載されています。ダウンロードして児童が日常使っているタブレット PC に入れたり，印刷したものをラミネート加工し下敷きとして配付したりするなどご自由に活用してください。

また，AK-Learning では，小学校での実践について学会での発表原稿や論文，実践記録についての情報を随時更新しています。ぜひ御覧ください。

AK-Learning サイト

情報学習支援ツール　実践カード：パワーチェックカード２（PCC2）

情報学習支援ツールの実践カード（パワーチェックカード２：PCC2）は子どもが情報活用能力を身につけるために開発された教材です。「情報

パワーチェックカードII　Lv.2　(　　　　　　)

じょうほうかつようスキルカード

スキルカード かんせい！

【A】じょうほうをあつめるためのスキル　【A】かんせい！

【1】じょうほうをあつめるほうほうをえらぶ。　【A1】かんせい！

【A1-1】デジタルカメラで　【A1-2】本で　【A1-3】メモをとって　【A1-4】かんさつして　【A1-5】てがみをかいて

【A】のメモ・次のめあて・ふりかえり

【2】ひつようなじょうほうをえらぶ。　【A2】かんせい！

【A2-1】えやしゃしんとぶんしょうをむすびつけて，だいじなことを　【A2-2】ぶんしょうからたいせつなことばやかず，文を　【A2-3】しらべたいところをえらんで（かく，はかる）　【A2-4】きいたことから，たいせつなことを

【B】じょうほうをせいりするためのスキル　【B】かんせい！

【B1】かみにず・ひょうなどをかいて　【B2】ふせんを使って　【B3】タブレットPCのアプリケーションを使って

【B】のメモ・次のめあて・ふりかえり

考えをせいりするためのシンキングスキル【TS】・シンキングツール【TT】　【TT,TS】かんせい！

【TS1】ひろげてみる：【TT1】イメージマップ　【TT2】くま手チャート

【TS3】ひょうかする：【TT4】PMI　【TT1】イメージマップ

【TS5】ぶんるいする：【TT2】くま手チャート　【TT8】マトリクス

【TS4】ようやくする：【TT16】クラゲチャート

【TS9】かんけいづける：【TT15】コンセプトマップ　【TT1】イメージマップ

【TS10】ひかくする：【TT7】ベン図　【TT10】ざひょうじく

【TS12】じゅんじょだてる：【TT5】ステップチャート

【TS12】りゆうづける：【TT16】クラゲチャート　【TT19】バタフライチャート

【TS13】ためんてきにみる：【TT12】Y/X/Wチャート　【TT4】PMI

【TS14】こうぞう化する：【TT13】ピラミッドチャート　【TT14】フィッシュボーン

メモ

【C】じょうほうをまとめるためのスキル　【C】かんせい！

【1】じょうほうをまとめるほうほうをえらぶ。　【C1】かんせい！

【C1-1】かみにていねいにかく

【2】じょうほうのまとめ方をえらぶ。　【C2】かんせい！

【C2-1】せつめいする文しょうに　【C2-2】しょうかいする文しょうに　【C2-3】かんさつしたことを文しょうに　【C2-4】はがきやてがみに　【C2-5】し（詩）に　【C2-6】図・表・グラフに

【3】わかりやすく，伝わりやすくまとめる。　【C3】かんせい！

【C3-1】じゅんじょをあらわすことば（まず，つぎに，それから）（ひとつめは，ふたつめは，みっつめは）をつかって　【C3-2】はじめ・なか・おわり　に分けた文しょうに　【C3-3】えや文しょう，しゃしんをくみあわせて　【C3-4】やじるしなどのしるしをつけて

【C】のメモ・次のめあて・ふりかえり

【D】じょうほうをつたえるためのスキル　【D】かんせい！

【1】じょうほうを伝えるほうほうをえらぶ。　【D1】かんせい！

【D1-1】本ものを見せたり，キーワードをかいたりして　【D1-2】かみしばいで　【D1-3】げきで　【D1-4】ICTで大きくうつして

【2】きいている人にわかりやすくつたえる。　【D2】かんせい！

【D2-1】一番つたえたいことがなにかをかんがえて　【D2-2】声の大きさ，はなすはやさ，かおのむきに気をつけて　【D2-3】はなすときの立つばしょ（きく人がよく見える）を考えて　【D2-4】さししめしながら

【3】きいたことやかかれたものをみて，つたえ合う。　【D3】かんせい！

【D3-1】わだいにあわせて　【D3-2】かかれたものをよんで，よいところをみつけて

【D】のメモ・次のめあて・ふりかえり

図１　パワーチェックカード２

学習支援ツール」の詳細な解説については，『情報学習支援ツール』（2016，さくら社）をご参照ください。具体的な活用方法や開発の意図，導入方法について述べています。

PCC2

PCC2 フォルダ

子どもがこのカードを携帯することで，学習の見通しをもったり，学習方法を主体的に選択したりすることができるようになります。また，多様な学習活動が掲載されているため，経験した学習活動にチェックを入れることで，子どもたちの学習履歴にもなります。

PCC 2 は，レベル 0 ～ 6 で構成されています。レベル 0 が小学校 1 年生前半，レベル 1 が小学校 1 年生後半，レベル 2 が小学校 2 年生，レベル 6 が小学校 6 年生から中学生を対象にしています。カードを児童に配付する際は，担当する学年のカードの内容を吟味した上で，児童の実態に合わせてひとつ上のレベルや，ひとつ下のレベルも検討して配

図 2　パワーチェックカード 2 の構成

付するカードを選択してください。カードの表記を学年ではなくレベルで示したのは，児童の実態に合わせてカードを選ぶことが重要であるからです。

PCC2 の構成

PCC2 には，カードの上から情報を「集める」「整理する」「まとめる」「伝える」スキルが示されています（図 2）。これらは様々な教科の学習過程と関連しています。

図 3 は，PCC2（レベル 2：小学校 2 年生程度）の「A，情報を集めるためのスキル」「B, 情報を整理するためのスキル」を高める学習活動が掲載された部分です。PCC2 には情報活用能力を高めることにつながる学習活動を「デジタルカメラで」「かんさつして」のように掲載しています。これらが情報活用能力を高めることにつながる学習活動

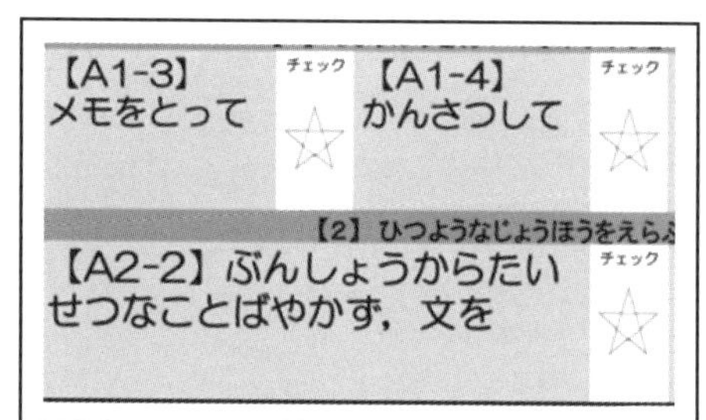

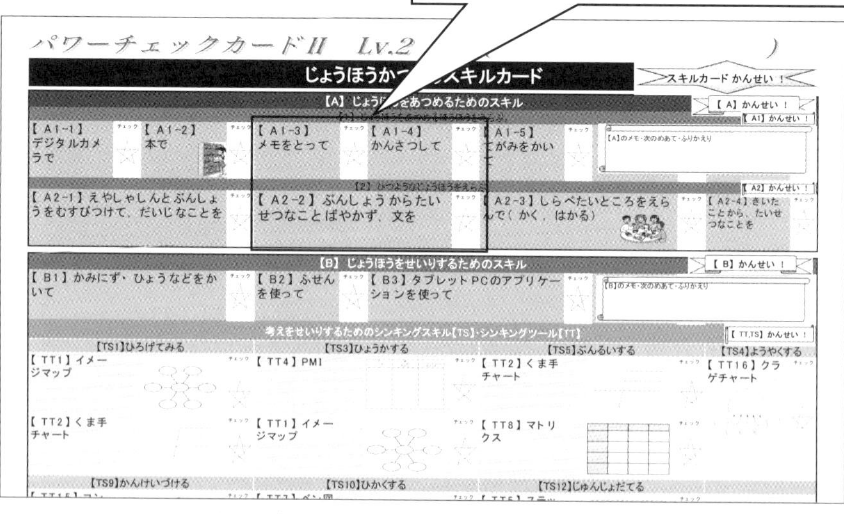

図 3　実践カード　情報を集めるためのスキル

であることから「情報活動」と呼びます。また，「情報を整理するためのスキル」では，「考えを整理するためのシンキングスキル・シンキングツール」として，「ひろげてみる」「ひょうかする」などの考え方（思考スキル，本書ではシンキングスキルと統一）とシンキングツールをセットにして掲載しています。ここに示された情報活動を，日々の学習の中で繰り返し経験していくことで，子どもが情報活用能力を習得し，適切な場面で発揮することができるようになるのです。

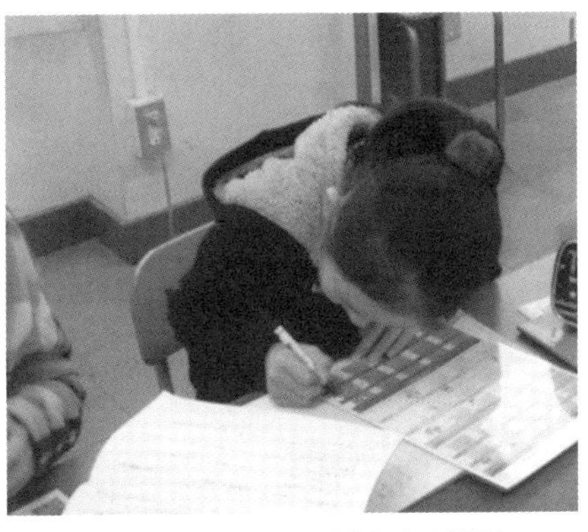

図 4　実践カードを活用する様子

本書で提案する「単元縦断型授業」では，PCC2 が「解決策を考える」過程，「単元を振り返る」過程で役立ちます。PCC2 があれば，「解決策を考える」過程で，子どもが学習計画を考える際に，学習内容に合わせて，適切な情報活動を選択することができるため，学習計画を綿密に立てることができます。また，「単元を振り返る」過程では，PCC2 を参照しながら経験した情報活動をチェックすることで自分自身の情報活用能力についての学習履歴をカードに記録することができます。記録に残すことで経験が多い活動と少ない活動が一目で確認することできるようになり，経験の少ない活動に挑戦しようとする意識が高まっていくのです。

PCC2 で思考力育成

小学校学習指導要領（平成 29 年告示）では，子どもの思考力，判断力，表現力を育成することが重視されています。その中で，思考力の育成に関しては，思考ツールを効果的に活用することで，子どもの考える力を高めることができると考えられます。筆者も，シンキングツールに出会い 10 年近く日々の授業で実践してきました。そして近年はそれに加え，思考ルーチンという新しい概念も取り入れながら子どもの思考力を育成することにチャレンジしています（本書では，思考ツール，思考ルーチン，思考スキルを子どもがわかりやすい言葉としてシンキングツール，シンキングルーチン，シンキングスキルとして示します）。

10年近くこれらのツールやルーチンを活用してきたことで感じることは，シンキングツールもシンキングルーチンも教科横断的に指導をし，全ての教科・領域の中で活用することが重要であるということです。また，シンキングツールやシンキングルーチンを適切に活用することができる力も情報活用能力の一つであると感じています。

どの教科・領域でも情報を整理したり分析したりする活動を行います。このことからも，シンキングツールやシンキングルーチンは，教科横断的に指導し，活用されていくものであると言えます。

それでは，どのようにシンキングツールやシンキングルーチンを子どもたちに指導していけばよいのでしょうか。また，指導したツールやルーチンが，他教科で発揮されるためにはどのようにすればよいのでしょうか。

それらの疑問を解決するために開発したのが『情報学習支援ツール』です。

まず，シンキングツールについての疑問に答えるために開発したのがPCC2です。PCC2は，シンキングツールについて指導を実施しやすくしたり，子どもたちがシンキングツールを主体的に活用したりすることをサポートする教材です。

子どもがシンキングツールを使いこなすには，様々な教科で横断的に活用していく必要があります。その際に，考える目的である（シンキングスキル「比べる」「関連付ける」など]）とシンキングツールとの関係を理解していることが重要です。例えば，「りんごとみかんを比較したいからベン図を使って比較しよう」とか，「調べた情報と情報の関係を探りたいからコンセプトマップで関係付けよう」といったようにシンキングスキルを基にシンキングツールを選べるようになることが大切なのです。しかし，このようになるためには，シンキングスキルとシンキングツールの対応を理解し，覚えておく必要があります。

数多くあるシンキングスキルとシンキングツールの関係を覚えるには時

間がかかります。そこで，子どもがこれらの対応を理解するために PCC 2の「B, 情報を整理するためのスキル」の部分にこれらの関係を整理し掲載しました。

図 6 は LEVEL6（小学校 6 年生〜中学生）用の PCC2 の「B, 情報を整理するためのスキル」です。ここでは，考えを整理するためのシンキングスキルとシンキングツールを対応付けて示しています。子どもが考えを「広げてみたい」と思った際にカードを参照すると,「イメージマップ」か「くま手チャート」を使えばよいことがわかります。

授業でシンキングツールを導入するときはまず，PCC2 を活用して，教師が一つ一つのシンキングスキルの意味と，関連するシンキングツールの使い方を指導します。そして，子どもたちの中でそれらの関連についての理解が深まってきたら，子どもが主体的に適切なシンキングツールを選択して学習を進めていけるようになるのです。

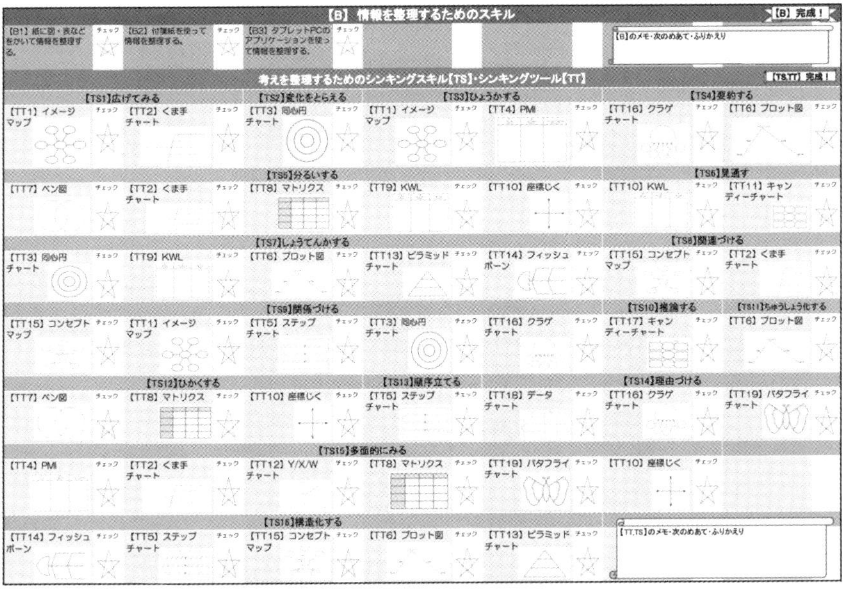

【B】 情報を整理するためのスキル　【B】完成！

【B1】紙に図・表などをかいて情報を整理する。 チェック　【B2】付箋紙を使って情報を整理する。 チェック　【B3】タブレットPCのアプリケーションを使って情報を整理する。 チェック

【B】のメモ・次のめあて・ふりかえり

考えを整理するためのシンキングスキル【TS】・シンキングツール【TT】　【TS,TT】完成！

【TS1】広げてみる：【TT1】イメージマップ チェック／【TT2】くま手チャート チェック
【TS2】変化をとらえる：【TT3】同心円チャート チェック
【TS3】ひょうかする：【TT1】イメージマップ チェック／【TT4】PMI チェック
【TS4】要約する：【TT16】クラゲチャート チェック／【TT6】プロット図 チェック
【TS5】分るいする：【TT7】ベン図 チェック／【TT2】くま手チャート チェック／【TT8】マトリクス チェック／【TT9】KWL チェック／【TT10】座標じく チェック
【TS6】見通す：【TT10】KWL チェック／【TT11】キャンディーチャート チェック
【TS7】しょうてんかする：【TT3】同心円チャート チェック／【TT9】KWL チェック／【TT6】プロット図 チェック／【TT13】ピラミッドチャート チェック／【TT14】フィッシュボーン チェック
【TS8】関連づける：【TT15】コンセプトマップ チェック／【TT2】くま手チャート チェック
【TS9】関係づける：【TT15】コンセプトマップ チェック／【TT1】イメージマップ チェック／【TT5】ステップチャート チェック／【TT3】同心円チャート チェック／【TT16】クラゲチャート チェック
【TS10】推論する：【TT17】キャンディーチャート チェック
【TS11】ちゅうしょう化する：【TT6】プロット図 チェック
【TS12】ひかくする：【TT7】ベン図 チェック／【TT8】マトリクス チェック／【TT10】座標じく チェック
【TS13】順序立てる：【TT5】ステップチャート チェック
【TS14】理由づける：【TT18】データチャート チェック／【TT16】クラゲチャート チェック／【TT19】バタフライチャート チェック
【TS15】多面的にみる：【TT4】PMI チェック／【TT2】くま手チャート チェック／【TT12】Y/X/W チャート チェック／【TT8】マトリクス チェック／【TT19】バタフライチャート チェック／【TT10】座標じく チェック
【TS16】構造化する：【TT14】フィッシュボーン チェック／【TT5】ステップチャート チェック／【TT15】コンセプトマップ チェック／【TT6】プロット図 チェック／【TT13】ピラミッドチャート チェック

【TT,TS】のメモ・次のめあて・ふりかえり

図 5　LEVEL6 の情報を整理するためのスキル

情報学習支援ツール　実践カード：シンキングルーチンカード（TRC）

TRC で思考力育成

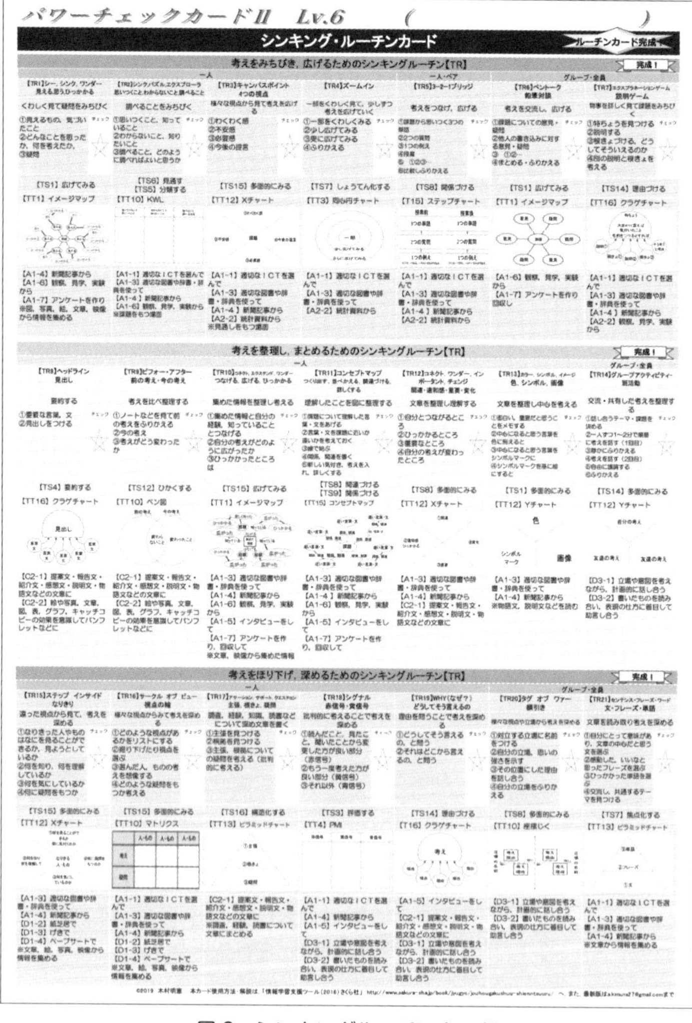

パワーチェックカードII　Lv.6　（　　　　　）

シンキング・ルーチンカード　ルーチンカード完成！

考えをみちびき，広げるためのシンキングルーチン【TR】　完成！

一人				一人・ペア	グループ・全員	
【TR1】シー，シンク，ワンダー 見える思う ひっかかる	【TR2】シンクパズルエクスプローラ 思いつくこと わからないこと 調べること	【TR3】キャンバスポイント 4つの視点	【TR4】ズームイン	【TR5】3-2-1ブリッジ	【TR6】ペントーク 鉛筆対談	【TR7】エクスプラネーションゲーム 説明ゲーム
くわしく見て疑問をみちびく	調べることをみちびく	様々な視点から見て考えを広げる	一部をくわしく見て，少しずつ考えを広げていく	考えをつなげ，広げる	考えを交流し，広げる	物事を詳しく見て課題をみちびく
①見えるもの，気づいたこと ②どんなことを思ったか，何を考えたか， ③疑問 チェック	①思いつくこと，知っていること ②わからないこと，知りたいこと ③調べること，どのように調べればよいと思うか チェック	①わくわく感 ②不安感 ③必要感 ④今後の提案 チェック	①一部をくわしくみる ②少し広げてみる ③更に広げてみる ④ふりかえる チェック	①課題から思いつく3つの単語 ②2つの質問 ③1つの例え ④授業 ⑤ ①②③ ⑥比較しふりかえる チェック	①課題についての意見・疑問 ②他人の書き込みに対する意見・疑問 ③ ①②… ④まとめる・ふりかえる チェック	①特ちょうを見つける ②説明する ③根きょづける，どうしてそういえるのか ④別の説明と根きょを考える チェック
【TS1】広げてみる	【TS6】見通す 【TS5】分類する	【TS15】多面的にみる	【TS7】しょうてん化する	【TS8】関係づける	【TS1】広げてみる	【TS14】理由づける
【TT1】イメージマップ	【TT10】KWL	【TT12】Xチャート	【TT3】同心円チャート	【T15】ステップチャート	【TT1】イメージマップ	【TT16】クラゲチャート
【A1-4】新聞記事から 【A1-6】観察，見学，実験から 【A1-7】アンケートを作り ※図，写真，絵，文章，映像から情報を集める	【A1-1】適切なICTを選んで 【A1-3】適切な図書や辞書・辞典を使って 【A1-4】新聞記事から 【A1-6】観察，見学，実験から ※課題をもつ場面	【A1-1】適切なICTを選んで 【A1-3】適切な図書や辞書・辞典を使って 【A1-4】新聞記事から 【A2-2】統計資料から ※見通しをもつ場面	【A1-1】適切なICTを選んで 【A1-3】適切な図書や辞書・辞典を使って 【A2-2】統計資料から	【A1-1】適切なICTを選んで 【A1-3】適切な図書や辞書・辞典を使って 【A1-4】新聞記事から 【A2-2】統計資料から	【A1-6】観察，見学，実験から 【A1-7】アンケートを作り回収し	【A1-1】適切なICTを選んで 【A1-3】適切な図書や辞書・辞典を使って 【A1-4】新聞記事から 【A2-2】観察，見学，実験から

考えを整理し，まとめるためのシンキングルーチン【TR】　完成！

一人						グループ・全員
【TR8】ヘッドライン 見出し	【TR9】ビフォー・アフター 前の考え・今の考え	【TR10】コネクト，エクステンド，ワンダー つなげる，広げる，ひっかかる	【TR11】コンセプトマップ つくり出す，並べかえる，関連づける，詳しくする	【TR12】コネクト，ワンダー，インポータント，チェンジ 関連・違和感・重要・変化	【TR13】カラー，シンボル，イメージ 色，シンボル，画像	【TR14】グループアクティビティー 班活動
要約する	考えを比べ整理する	集めた情報を整理し考える	理解したことを図に整理する	文章を整理し理解する	文章を整理し中心を考える	交流・共有した考えを整理する
①重要な言葉，文 ②見出しをつける チェック	①ノートなどを見て前の考えをふりかえる ②今の考え ③考えがどう変わったか チェック	①集めた情報と自分の経験，知っていることとつなげる ②自分の考えがどのように広がったか ③ひっかかったところは チェック	①課題について理解した言葉・文をあげる ②言葉・文を課題に近いか遠いかを考えておく ③線で結ぶ ④関係，関連を書く ⑤新しい気付き，考えを入れ，詳しくする チェック	①自分とつながるところ ②ひっかかるところ ③重要なところ ④自分の考えが変わったところ チェック	①面白い，重要だと思うことをメモする ②中心になると思う言葉を色に備えると ③中心になると思う言葉をシンボルマークに ④シンボルマークを基に絵にすると チェック	①話し合うテーマ・課題を決める ②一人ずつ1～2分で順番に考えを話す（1回目） ③静かにふりかえる ④考えを話す（2回目） ⑤自由に議論する ⑥ふりかえる チェック
【TS4】要約する	【TS12】ひかくする	【TS15】広げてみる	【TS8】関連づける 【TS9】関係づける	【TS8】多面的にみる	【TS1】多面的にみる	【TS14】多面的にみる
【TT16】クラゲチャート	【TT10】ベン図	【TT1】イメージマップ	【TT15】コンセプトマップ	【TT12】Xチャート	【TT12】Yチャート	【TT12】Yチャート
【C2-1】提案文・報告文・紹介文・感想文・説明文・物語文などの文章に 【C2-2】絵や写真，文章，図，表，グラフ，キャッチコピーの効果を意識してパンフレットなどに	【C2-1】提案文・報告文・紹介文・感想文・説明文・物語文などの文章に 【C2-2】絵や写真，文章，図，表，グラフ，キャッチコピーの効果を意識してパンフレットなどに	【A1-3】適切な図書や辞書・辞典を使って 【A1-4】新聞記事から 【A1-6】観察，見学，実験から 【A1-5】インタビューをして 【A1-7】アンケートを作り，回収して ※文章，映像から集めた情報	【A1-3】適切な図書や辞書・辞典を使って 【A1-4】新聞記事から 【A1-6】観察，見学，実験から 【A1-5】インタビューをして 【A1-7】アンケートを作り，回収して	【A1-3】適切な図書や辞書・辞典を使って 【A1-4】新聞記事から 【C2-1】提案文・報告文・紹介文・感想文・説明文・物語文などの文章に	【A1-3】適切な図書や辞書・辞典を使って 【A1-4】新聞記事から ※物語文，説明文などを読む	【D3-1】立場や意図を考えながら，計画的に話し合う 【D3-2】書いたものを読み合い，表現の仕方に着目して助言し合う

考えをほり下げ，深めるためのシンキングルーチン【TR】　完成！

一人					グループ・全員	
【TR15】ステップ インサイド なりきり	【TR16】サークル オブ ビュー 視点の輪	【TR17】アサーション，サポート，クエスチョン 主張，根きょ，疑問	【TR18】シグナル 赤信号・黄信号	【TR19】WHY（なぜ？） どうしてそう言えるの	【TR20】タグ オブ ワァー 綱引き	【TR21】センテンス・フレーズ・ワード 文・フレーズ・単語
違った視点から見て，考えを深める	様々な視点からみて考えを深める	調査，経験，知識，読書などについて深め文章を書く	批判的に考えることで考えを深める	理由を問うことで考えを深める	様々な視点や立場から考えを深める	文章を読み取り考えを深める
①なりきった人やものはなにを見ることができるか，見ようとしているか ②何を知り，何を理解しているか ③何を気にしているか ④何に疑問をもつか チェック	①どのような視点があるかをリストにする ②掘り下げたり視点を選ぶ ③選んだ人，ものの考えを想像する ④どのような疑問をもつか考える チェック	①主張を見つける ②根拠を見つける ③主張，根拠についての疑問を考える（批判的に考える） チェック	①読んだこと，見たこと，聞いたことから変更した方が良い部分（赤信号） ②もう一度考えた方が良い部分（黄信号） ③それ以外（青信号） チェック	①どうしてそう言えるの，と問う ②それはどこから言えるの，と問う チェック	①対立する立場に名前をつける ②自分の立場，思いの強さを示す ③その位置にした理由を話し合う ④自分の立場をふりかえる チェック	①自分にとって意味があり，文章の中心だと思う文を選ぶ ②感動した，いいなと思ったフレーズを選ぶ ③ひっかかった単語を選ぶ ④交流し，共通するテーマを見つける チェック
【TS15】多面的にみる	【TS15】多面的にみる	【TS16】構造化する	【TS3】評価する	【TS14】理由づける	【TS8】多面的にみる	【TS7】焦点化する
【TT12】Xチャート	【TT10】マトリクス	【TT13】ピラミッドチャート	【TT4】PMI	【T16】クラゲチャート	【TT10】座標じく	【TT13】ピラミッドチャート
【A1-3】適切な図書や辞書・辞典を使って 【A1-4】新聞記事から 【D1-2】紙芝居で 【D1-3】げきで 【D1-4】ペープサートで ※文章，絵，写真，映像から情報を集める	【A1-1】適切なICTを選んで 【A1-3】適切な図書や辞書・辞典を使って 【A1-4】新聞記事から 【D1-2】紙芝居で 【D1-3】げきで 【D1-4】ペープサートで ※文章，絵，写真，映像から情報を集める	【C2-1】提案文・報告文・紹介文・感想文・説明文・物語文などの文章に ※調査，経験，読書について文章にまとめる	【A1-1】適切なICTを選んで 【A1-4】新聞記事から 【A1-5】インタビューをして 【D3-1】立場や意図を考えながら，計画的に話し合う 【D3-2】書いたものを読み合い，表現の仕方に着目して助言し合う	【A1-5】インタビューをして 【C2-1】提案文・報告文・紹介文・感想文・説明文・物語文などの文章に 【D3-1】立場や意図を考えながら，計画的に話し合う 【D3-2】書いたものを読み合い，表現の仕方に着目して助言し合う	【D3-1】立場や意図を考えながら，計画的に話し合う 【D3-2】書いたものを読み合い，表現の仕方に着目して助言し合う	【A1-1】適切なICTを選んで 【A1-3】適切な図書や辞書・辞典を使って 【A1-4】新聞記事から ※文章から情報を集める

©2019 木村明憲　本カード使用方法・解説は「情報学習支援ツール（2016）さくら社」 http://www.sakura-sha.jp/book/jyugyo/jouhougakushuu-shienntsuuru/ へ。また，最新版はakimura27@gmail.comまで

図6　シンキングルーチンカード

次に，シンキングルーチンについての疑問に答えるために開発したシンキングルーチンカード（以下，TRC）について紹介します。シンキングルーチンは，子どもたちが考えを広げたり，深めたりする上で大変効果的な考え方です。

筆者は，授業で積極的にシンキングルーチンを活用してきました。これらを積極的に活用することで，子どもたちから様々な考えが積極的に出てくるようになりました。使い始めた頃は，どのルーチンをどのような場面で活用すればよいのか迷いましたが，何度も活用することでそれぞれのルーチンの特性がわかり，様々な場面での活用イメージをもつことができるようになりました。そのような活用イメージを基にまとめたのがTRCです。

ここで紹介するTRCは『子どもの思考がわかる21のルーチン』(黒上晴夫ほか，2016）を参考に作成しています。黒上ほか（2016）では，シンキングルーチンを「考えの導入と展開のためのルーチン」「考えを総合･整理するためのルーチン」「考えを掘り下げるためのルーチン」の3つに分類し，それぞれに7つのルーチンを紹介しています。これ

①

【TR1】シー，シンク，ワンダー
見える,思う,ひっかかる

②

くわしく見て疑問をみちびく

③

①見えるもの，気づいたこと
②どんなことを思ったか，何を考えたか，
③疑問

チェック

④

【TS1】広げてみる

【TT1】イメージマップ

⑤

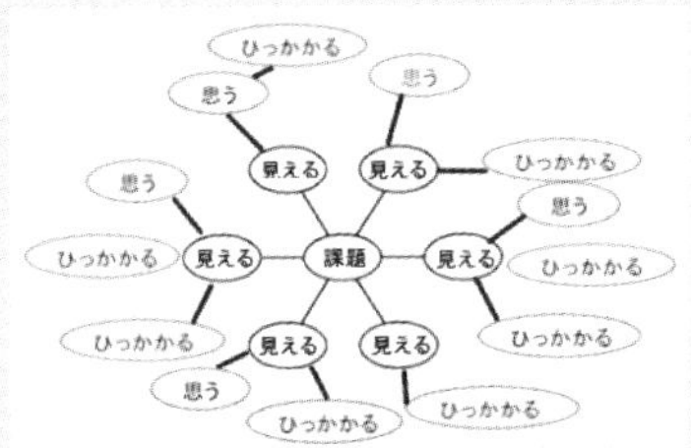

⑥

【A1-4】新聞記事から
【A1-6】観察，見学，実験から
【A1-7】アンケートを作り
※図，写真，絵，文章，映像から情報を集める

図7　ルーチンの解説

TRC

TRCフォルダ

らのルーチンを子どもが活用できるように，21 のルーチンを TRC（図 6）にまとめました。

TRC には，それぞれのルーチンの名前①，目的②，手順③，シンキングスキルとの関連④，シンキングツールとの関連⑤，PCC2 との関係⑥が示されています (図 7)。これを見れば，このルーチンがどのような場面で，どのように活用すればよいのかを理解することができます。また，シンキングスキルやシンキングツールとの関連を図ることにより，紙やタブレット PC に記述しながらルーチンを進めていくことができるようになり，考えを広げたり，整理したり，深めたりすることに容易に取り組むことができるようになっています。

このようにシンキングツール，シンキングスキル，シンキングルーチンが示されたカードを子どもが携帯し，様々な教科で参照することにより，自ら考える方法を選択し，主体的に思考する力を教科横断的に身につけていくことにつながるのです。

TRC に掲載されているシンキングルーチン

ここでは，シンキングルーチンについて，図 7 の番号を基に一つずつ解説します。⑥は「これまで筆者が実践したこと」や「筆者が今後実践したいと思っていること」です。これらを参考に，日常の実践で活用してみ

シンキングルーチンの解説

①シンキングルーチン名
②目的
③手順
④シンキングスキルとの関連
⑤シンキングツールとの関連
⑥活用場面

てください。

考えをみちびき，広げるためのルーチン

1. See, Think, Wonder

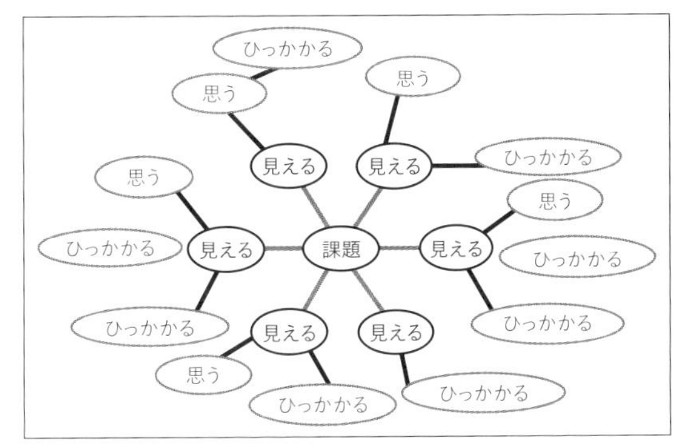

①見える，思う，ひっかかる
②詳しく見たり，読んだりして疑問を導く
③見えるもの気づいたこと→思ったこと，考えたこと→疑問，ひっかかったこと
④広げてみる
⑤イメージマップの真ん中に課題となる「言葉」「図」「絵」などを置き，そこから「見えること」「思うこと」「ひっかかること」と考えを広げていく。
⑥単元導入時に提示する「言葉」「図」「絵」を基に，このルーチンの手順で考えることにより，対象について深く見たり，それを基に今後追究していきたいことを明確にしたりすることができる。

2. Think, Puzzle, Explore

①思いつくこと，わからないこと，調べること
②調べることを導く
③思いつくこと，知っていること→わからないこと，知りたいこと→調べること，どのように調べるか
④見通す，分類する

知っていること 思いつくこと	わからないこと 知りたいこと	調べること 調べる方法

⑤ KWL チャートで，ルーチンの手順を基に考えを広げていく。
⑥生活科や社会科，理科などの教科で，単元導入時の問いをつくる活動で活用することにより，その単元で追究したい問いが明確になる。

3. Compass Points

①４つの方位
②様々な視点から見て考えを広げる
③わくわくすること→不安に思うこと→必要と感じること→今後の提言，目標，めあて
④多面的に見る
⑤手順を基に，考えたことをＸチャートに整理することで，課題，テーマについて多面的に考えることができる。
⑥単元のはじめに，単元名や課題について４つの視点で考えることにより，その学習で追究したい問いや目標が明確になる。

①わくわく感
②不安感
課題
④今後の提言
③必要感

4. Zoom In

①ズームイン
②一部を詳しく見て，少しずつ考えを広げていく
③一部を詳しく見る→少し広げて見る→さらに広げて見る→振り返る
④焦点化する
⑤はじめに詳しく見る部分を同心円チャートの中心に起き，少しずつ広げて物事を見ていく。

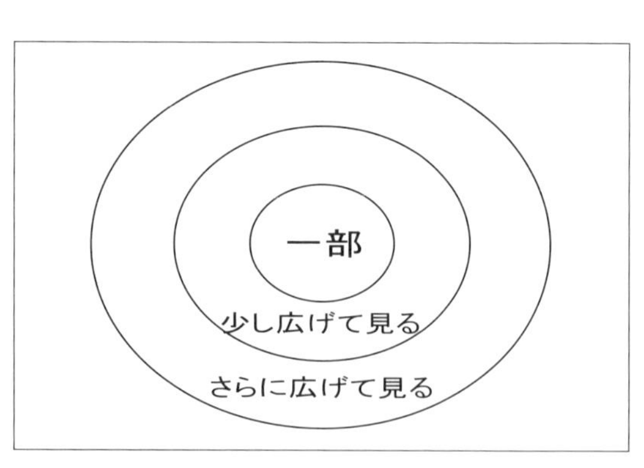

⑥グラフを見る際に，注目したい項目を中心に考えを深めた後，隣の項目，さらにその隣の項目へ視野を広げて考えを広げていく。このように視野を広げていくことにより一つ一つの項目と，それらの関係についての考えが深まる。

5. 3-2-1BRIGE

①３－２－１ブリッジ

②考えをつなげ，広げる

③課題から思いつく３つの単語→２つの質問→１つの例え→授業→単元終了後に課題から思いつく３つの単語→２つの質問→１つの例え

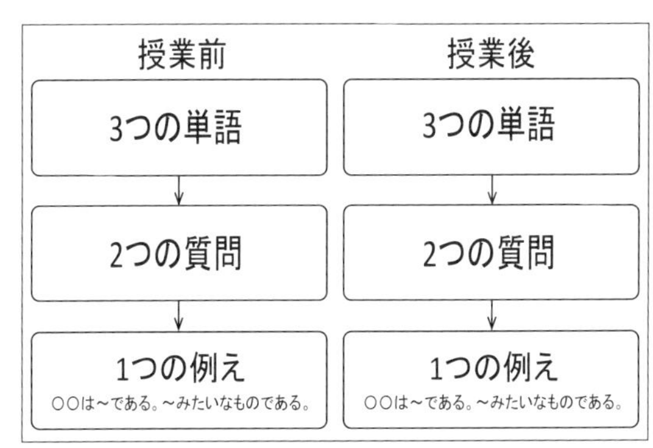

④関係付ける

⑤３つの単語，２つの質問，１つの例えをステップチャートに記述し，授業前と授業後を比較する。

⑥単元導入時に課題を基に感じたことを左のステップチャートに記述しておく。そして，単元を振り返る際に同じ視点で再度記述する。最後に，記述したことを比較することで，その単元で自分が理解したことや変容したことがわかり，自らのメタ認知につながる。

6. Pen Talk

①鉛筆対談

②考えを交流し，広げる

③課題についての意見・疑問→他人の書き込みに対する意見・疑問→繰り返す→まとめる

④広げて見る

⑤紙の真ん中に課題について書き，２，３人でその紙に意見や疑問を書き込んでいく。そして，課題についての考えを共有しながら深めることが

できる。

⑥共通の話題について少人数で意見交流をする際に，Pen Talk を行うことで，考えたことや思ったことを記述しながら共有することができる。イメージマップを書く際は無言で記述し，記述した後にお互いの意見や疑問について話し合う時間を設定することも効果的である。

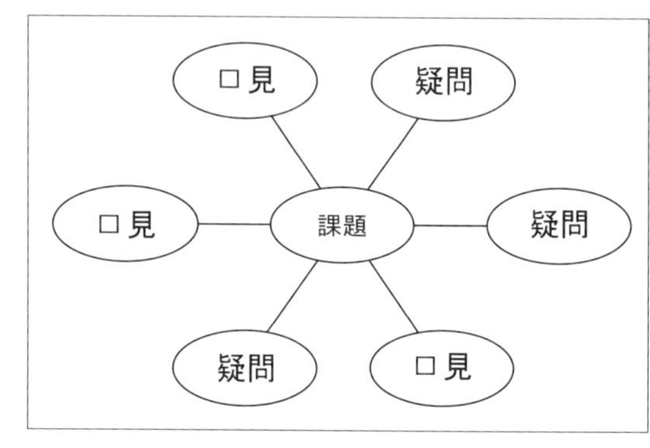

7. The Explanation Game

①説明ゲーム

②物事を詳しく見て課題を導く

③特徴を見つける→説明する→根拠付ける→別の説明と根拠を考える

④理由付ける

⑤説明したい事柄についての説明と根拠をクラゲチャートに整理する。

⑥算数科の授業で問題に対してどのように考えたのかを説明する活動がよく行われる。そのようなときに，自分の考えの特徴や概要についての説明や根拠を記述することで，考えを，根拠を明確にして説明することができる。

考えを整理し，まとめるためのルーチン

1. Headline

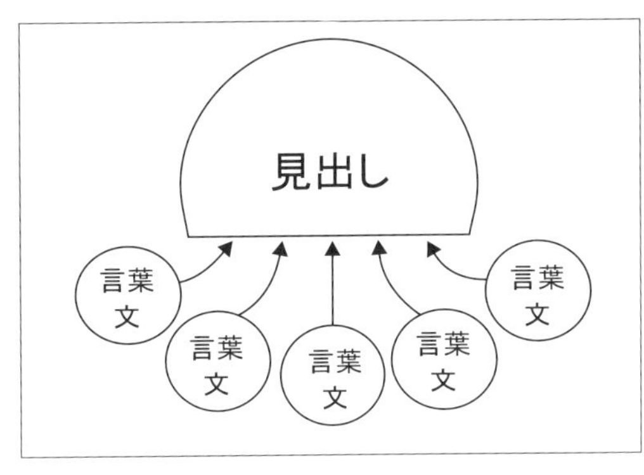

①見出し

②要約する

③重要な言葉，文を見つける
→見出しを書く

④要約する

⑤クラゲチャートの下の部分に重要な言葉，文章を書き出し，それを基に見出しを上の部分に書く。

⑥物語文や説明文の要旨を捉える際に活用することで，文章を整理しながら読み取ることができる。

2. I Use to think…, Now I think…

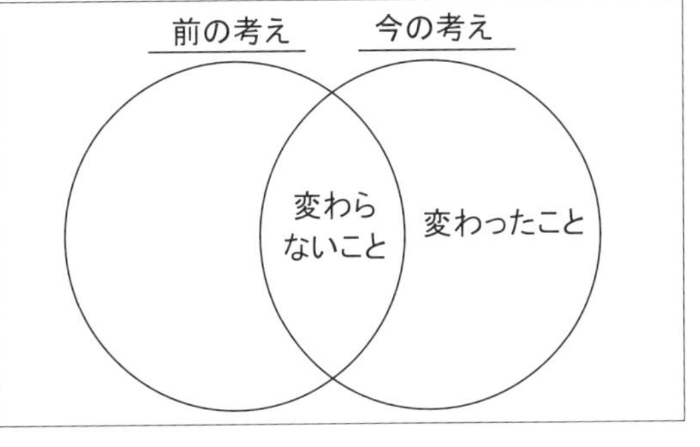

①前の考え，今の考え

②考えを比べ整理する

③ノートなどを見て過去の記述を振り返る→今の考え→考えが変わったかを考える

④比較する

⑤ベン図に前の考えと今の考えを書き，変わらなかったことや変わったことを見つけ出す。

⑥国語科や道徳などで文章を読む前に，題名や挿絵などから感じることを左側に書いておき，読んだ後に感じたことを右側に書く，そしてそれらの中で共通する点を真ん中に書く。このようにすることで文章を読んで考えが変わったことが明らかになる。

3. Connect, Extend, Challenge

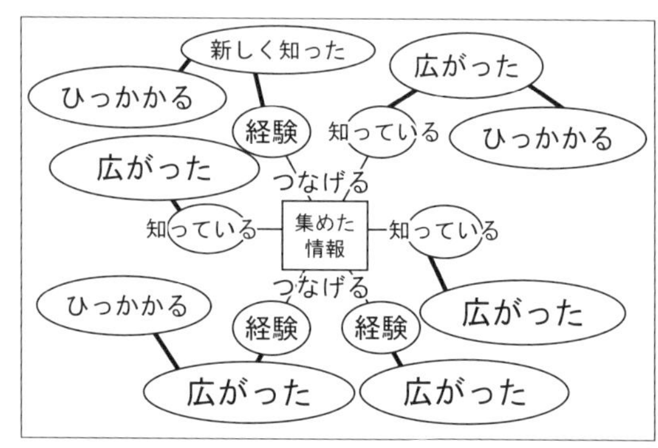

①つなげる，広げる，吟味する
②集めた情報を整理し考える
③集めた情報と自分の経験，知っていることをつなげる→自分の考えの広がり→疑問
④広げてみる
⑤イメージマップに集めた情報と情報をつなげる。
⑥社会科などで，調べ学習を行った際に集めた情報と情報，また，集めた情報と知識や経験をつなげる。このようにつなげることで，集めた情報の理解を深めることができる。

4. Concept Maps

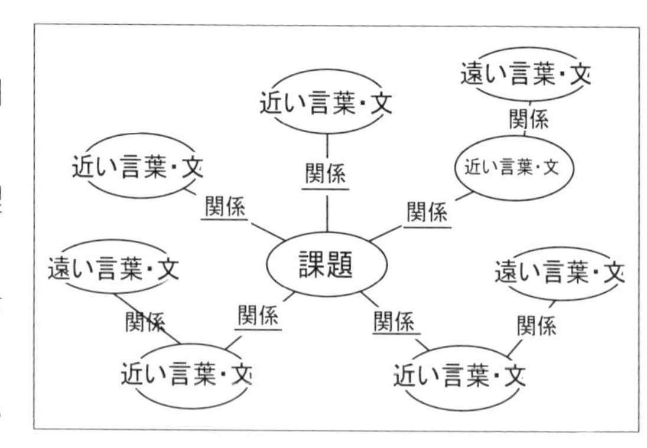

①コンセプトマップ　つくり出す，並びかえる，関連づける，詳しくする
②理解したことを図に整理する
③課題について理解した言葉・文をあげる→言葉・文を課題に近いか遠いかを考えておく→線で結ぶ→関係を線上にかく→新しい気付き，考えを入れる
④関連付ける，関係付ける
⑤コンセプトマップで言葉と言葉をつなぎ，そのつながりの意味を明確にする。
⑥社会科などで調べたことを，コンセプトマップ上に置くことで，集めた

情報と情報の関係を明確にすることができる。

5. Connections, Challenge, Concept, Changes

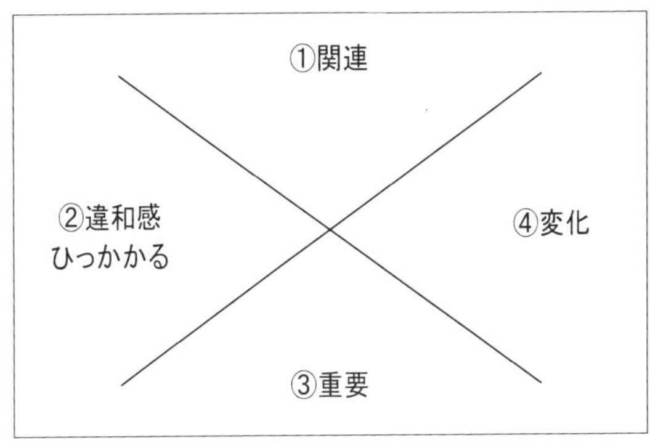

①関連，違和感，重要，変化
②文章を整理し理解する
③自分とつながるところ→ひっかかることころ→重要なところ→自分の考えが変わったところ
④多面的に見る
⑤多面的に見たことをＸチャートに整理する。
⑥国語科で物語文や説明文を読んだ後に，これらの４つの視点で振り返ることで，文章についての理解や考えが深まる。

6. Color, Symbol, Image

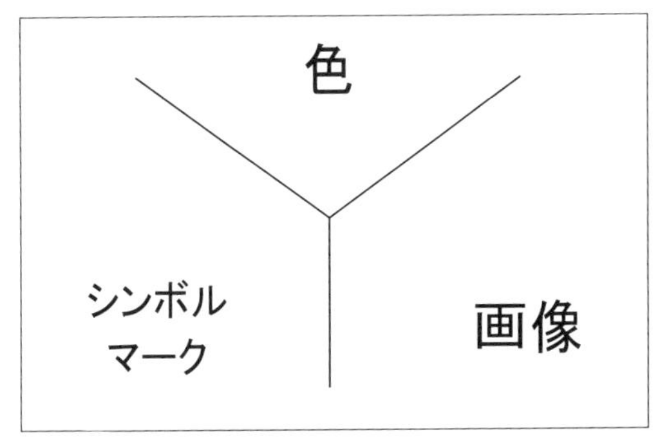

①色，シンボル，画像
②文章を整理し中心を考える
③面白い，重要だと思うことをメモする→中心になると思う言葉を色に例えると→中心になると思う言葉をシンボルマークに例えると→シンボルマークを基に絵にすると
④多面的に見る
⑤多面的に捉えたことをＹチャートに整理する。
⑥文章，課題について理解を深めるために，そのことを色，シンボルマーク，絵に例える。このように例えたことを共有することにより文章や課

題に対する理解が深まる。

7. Group activities

①班活動

②交流・共有した考えを整理する

③話し合うテーマ・課題を決める→一人ずつ考えを話す→静かに振り返る→考えを話す→自由に議論する

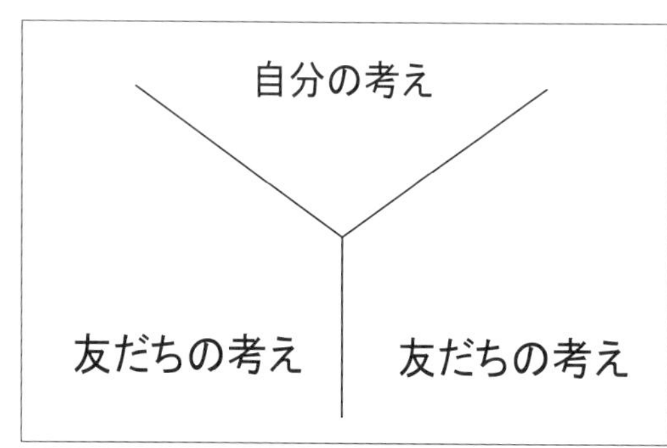

④多面的に見る

⑤自分の考えとグループの人の考えをＹチャートに記述し比較できるようにする。

⑥班での話し合い活動を行う際に，このルーチンの手順で話し合いを行うことにより，それぞれの考えを共有し，深めることができる。

考えを掘り下げ，深めるためのルーチン

1. Step Inside

①なりきり

②違った視点から見て，考えを深める

③なりきった人やものは何を見ることができるのか→何を知り，何を理解しているのか→何を気にしているのか→何を疑問にもつか

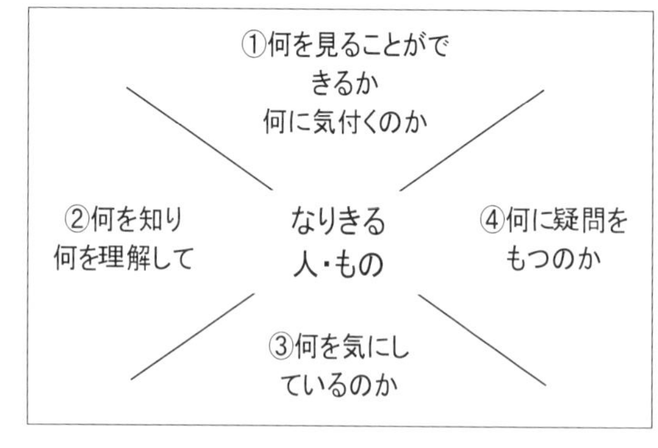

④多面的に見る

⑤４つの視点をＸチャートに整理し，なりきる人やものの気持ちについ

て考えを深める。

⑥道徳，国語科などで登場人物の気持ちを考える際に，このルーチンの視点を基にすることで，なりきった人，ものの立場に立って考えることができる。

2. Circle of Viewpoint

①視点の輪

②様々な視点から見て考えを深める

③出来事や問題を明確にする→出来事や問題について考えている人やものを考える→選んだ人，ものの考えを想像する→どのような疑問をもつか考える

	人・もの	人・もの	人・もの
考え			
疑問			

④多面的に見る

⑤マトリクスに考えや疑問を整理し考えを深める。

⑥ある事柄について，様々な人やものの立場から見れば，それがどのように考えられており，またどのような疑問がもたれているのかについて考えを深めることができる。

3. Assertion, Support, Question

①主張，根拠，疑問

②調査，経験，知識，読書などについて深める

③主張を見つける→根拠を見つける→主張，根拠についての疑問を考える（批判的に考える）

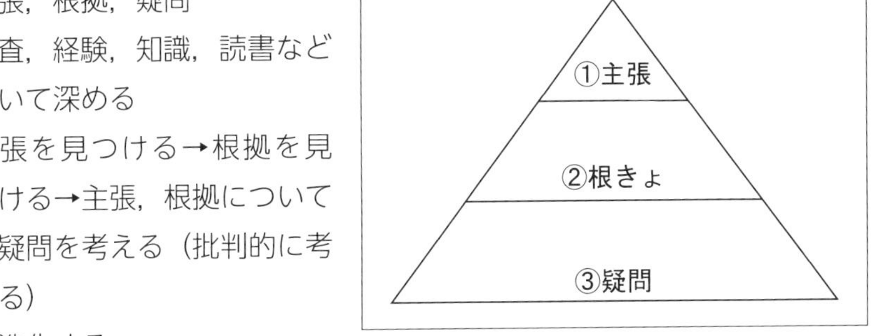

④構造化する

⑤主張を基にピラミッドチャートに整理する。
⑥学習を通して調べたことや考えたことを，文章やプレゼンテーションなどにまとめる際に，このような視点で情報を整理することで，主張を明確にした発信をすることができる。

4. Signal

①赤信号，黄信号
②批判的に考えることで考えを深める
③読んだこと，見たこと，聞いたことから変更したほうが良い部分（赤信号）→もう一度考え直したほうが良い部分（黄信号）→良い部分（青信号）
④評価する
⑤批判的に考えながらPMIチャートに整理する。
⑥自分たちがまとめた新聞やプレゼンテーションなどの作品を評価する際に，このルーチンの視点で作品を見ることで改善点が明確になる。

赤信号	黄信号	青信号

5. Why?

①どうしてそう言えるの
②理由を問うことで考えを深める
③どうしてそう言えるの？と問う→それはどこから言えるの？と問う
④理由付ける
⑤どうしてそう言えるの？と問い，その理由と考えをクラゲチャートに整理する。

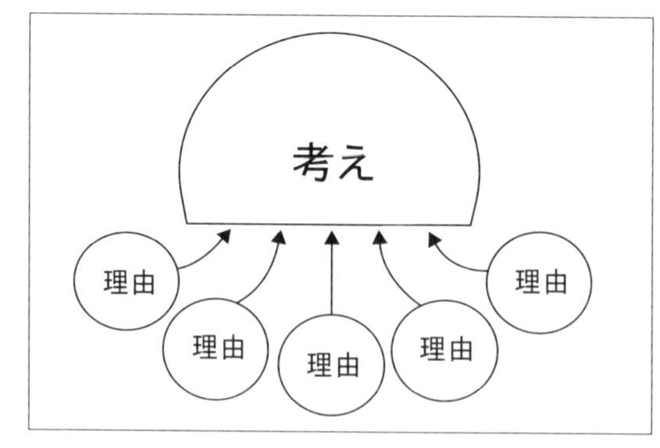

⑥算数科などで解決した問題の説明を考える際に，「どうしてそう言えるの？」と問い，その理由から考えを導き出すことで説得力のある説明ができるようになる。

6. Tug-of War

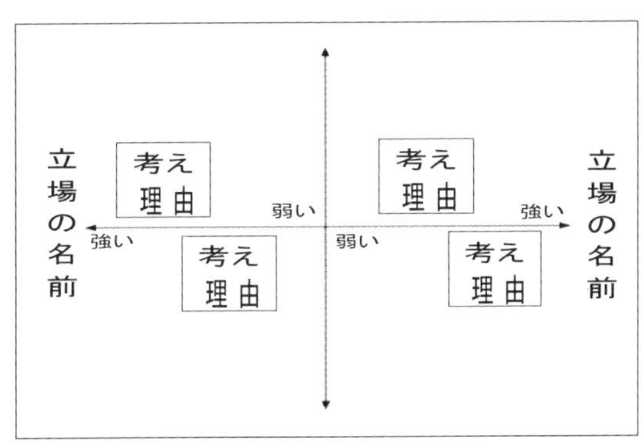

①綱引き
②様々な視点や立場から考えを深める
③対立する立場に名前をつける→自分の立場，思いの強さを示す→その位置にした理由を話し合う→自分の立場を振り返る
④多面的に見る
⑤座標軸で自分の立場を明確にする。
⑥道徳などで，意見が対立するような場合，子どもたちがどのような立場で考えているのかを座標軸に示し，そのように考えた理由を議論することで考えが深まる。

7. Sentence, Phrase, Word

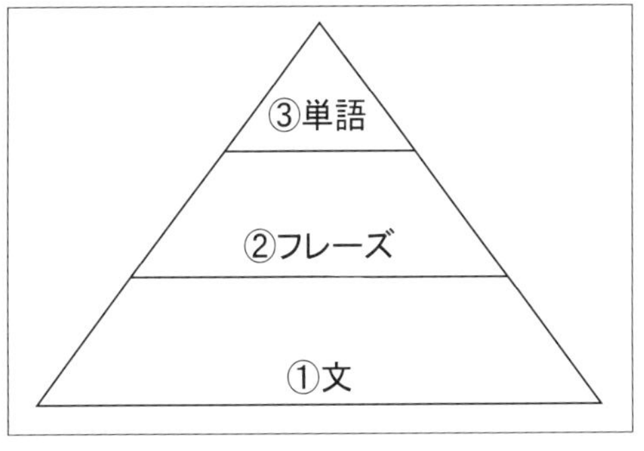

①文，フレーズ，単語
②文章を読み取り考えを深める
③自分にとって意味があり，中心だと思う文を選ぶ→感動した，いいなと思ったフレーズを選ぶ→ひっかかった単語を選ぶ→交流し共通するテーマを選ぶ
④焦点化する

⑤重要な文章を，ピラミッドチャートを使って焦点化していく。
⑥国語科で新聞を書く際に，重要となる文章からフレーズを選び，それを単語にして新聞の見出しを決めることができる。

●情報学習支援ツール　実践カード：ラーニングプロセスカード（LPC）●

主体的・対話的で深い学びの実現に向けた授業改善を行う上で，教師や子どもたちが学習過程を理解することが重要です。しかし，全ての教科，領域の学習過程を子どもが理解することは不可能です。そこで，各教科・領域の学習過程を子どもが理解するツールとして開発したのがラーニングプロセスカード（LPC:図8）です。図5は，小学校学習指導要領解説（平成29年告示）を基に，整理しました。これを見るとそれぞれの教科で学習過程が少しずつ違いますが，情報教育の学習過程で教科横断的に整理できることがわかります。

これらのことからもわかるように，単元縦断型で教材研究を行うことが重要であるとともに，教師や子どもが教科横断的に学習過程を捉えることが，見通しをもって主体的に学習に取り組むことに繋

LPC

LPC フォルダ

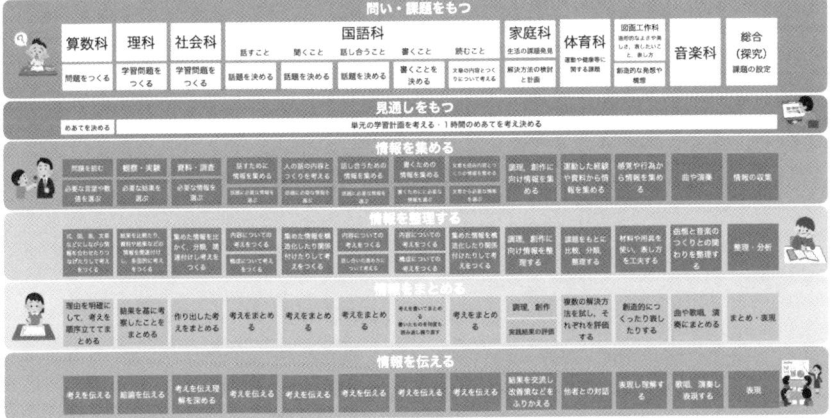

図8　ラーニングプロセスカード

がるのです。

LPC は「解決策を考える」過程で参照することにより，子どもたちがより詳細な学習の見通しをもつことができると考えます。

・情報学習支援ツール　実践カード：プレゼンテーションチェックカード（PTC）・

プレゼンテーションチェックカードは，自らのプレゼンテーションをチェック（自己評価）したり，子どもたちが互いにプレゼンテーションを見合ったり（他者評価）する際に効果的なカードです。このカードを配付することで，子どもたちがカードを参照しながら，プレゼンテーションの課題を導き出し，自らプレゼンテーションを自主的に改善する姿につながります。

PTC

PTC フォルダ

プレゼンテーション　パワーチェックカード

方法

番号	チェックこうもく	4	3	2	1
A					
1	しっかり声が聞こえていたか	いつもよく聞こえていた	ほとんど聞こえていた	聞こえにくいところがところどころあった	あまり聞こえなかった
2	元気で明るい声だったか	いつも明るい声だった	ほとんどが明るい声だった	あまり明るくなかった	明るくなかった
B					
1	はっきりわかりやすく、つまらずに話せていたか	とてもはっきりわかりやすくつまらずはなせていた	はっきりわかりやすくつまらず話せていた	ときどきつまっていた	つまずきが多くわかりにくかった
C					
1	よくようがあったか	上手によくようがついていた	よくようがついていた	あまりよくようがなかった	よくようがなかった
D					
1	話す速さはよかったか	とてもよかった	よかった	あまりよくなかった	できていなかった
E					
1	間はとっていたか	とてもよかった	よかった	あまりよくなかった	できていなかった
F					
1	緩急（ゆっくり言ったり、はやく言ったり）があったか	とてもよかった	よかった	あまりよくなかった	できていなかった
2	声の高さや低さ・強さや弱さの変化があったか	とてもよかった	よかった	あまりよくなかった	できていなかった
G					
1	笑顔で楽しそうに話すことができたか	とてもよかった	よかった	あまりよくなかった	できていなかった
2	聞き手と目を合わせて話していたか（アイコンタクト）	とてもよかった	よかった	あまりよくなかった	できていなかった
3	スライドを指し示しながら話していたいか	とてもよかった	よかった	あまりよくなかった	できていなかった
4	身ぶり手ぶりを入れて話していたか	とてもよかった	よかった	あまりよくなかった	できていなかった

スライドの作成

番号	チェックこうもく	4	3	2	1
H					
1	文字の大きさはよかったか	全てのスライドが良かった	見ずらいスライドが1、2枚あった	見ずらいスライドが半分より多かった	ほとんどのスライドがみにくかった
2	文字数はよかったか	全てのスライドが良かった	文字が多く見ずらいスライドが1、3枚あった	文字が多く見ずらいスライドが半分より多かった	ほとんどのスライド文字が多く見にくかった
3	文字の種類に工夫はあったか	ほとんどのスライドで工夫してあった	少しは工夫があった	工夫はあったが、なくてもよいような工夫だった	文字の種類の工夫がなかった
4	文字の色を変える・囲む・下線を引くなどの工夫はあったか	ほとんどのスライドで工夫してあった	少しは工夫があった	工夫はあったが、なくてもよいような工夫だった	文字の種類の工夫がなかった
5	文字と図や表に関連があったか	文字と図や表がある全てのスライドで関連があった	文字と図や表がある半分ほどのスライドで関連があった	文字と図や表がある少しのスライドで関連があった	文字と図や表の関連がないスライドばかりであった
I					
1	図や表がわかりやすく入っていたか	とてもよかった	よかった	あまりよくなかった	できていなかった
2	わかりやすい文章であったか	とてもよかった	よかった	あまりよくなかった	できていなかった
3	背景と文字や図表との関係はよかったか	とてもよかった	よかった	あまりよくなかった	できていなかった
4	スライドの切り替えのタイミングやアニメーション、効果音は効果的であったか	とてもよかった	よかった	あまりよくなかった	できていなかった
J					
1	スライドの順番、構成はよかったか（内容がよくわかる順番だったか）	とてもよかった	よかった	あまりよくなかった	できていなかった
2	スライドは見やすくできていたか（情報量・レイアウト）	とてもよかった	よかった	あまりよくなかった	できていなかった

内容

番号	チェックこうもく	4	3	2	1
K					
1	発表のテーマ（伝えたいこと）が[illegible]	全てのスライドで意識されていた	ほぼ、全てのスライドで意識されていた	半分ほどのスライドで意識されていた	意識されていなかった
2	[illegible]	全てのスライドにつながりがあり、発表の内容が伝わってきた	ほぼ、全てのスライドにつながりがあり、発表の内容が伝わっ	半分ほどのスライドにつながりがあった	スライドのつながりがなく内容が伝わらなかった
3	発表の内容がわかるように説明できていたか	発表の内容がとてもよくわかるように説明していた	発表の内容がおおていどわかった	内容があまりわからなかった	内容がわからなかった
4	発表の内容がわかるようなスライドであったか	とてもよかった	よかった	あまりよくなかった	できていなかった
5	時間内に内容を伝えることができたか	与えられた時間内の±20秒以内で伝えることができていた	与えられた時間から±45秒以内で伝えることができていた	与えられた時間から±1分以内で伝えていた	与えられた時間から±2分以上になった

図9　プレゼンテーションチェックカード

資料

AK-Learning のサイトでは，パワーチェックカードなどの学習用教材と同時に，自主学習のやり方についてワークシートなどとともに発信をしています。また，高学年の児童が自主的に学習を行うことができるようにkids ページも用意しています。ご活用ください。

AK-learning 自主学習サイト

AK-learning kids ページ

終章：可視化によって生み出すもの

関西大学総合情報学部・教授・黒上晴夫

1．主体的・対話的で深い学びとプロセスの可視化

ここまで本書を読んで来られた方は，学習のプロセスや，そのプロセスにおける子どもの思考が，これほどまでにビジュアライズ（可視化）できるものか，と驚かれたのではないかと思います。

まずは，第1章の図2（p.29）。学習指導要領をもとに，全ての教科の学習のプロセスが，情報活用という視点から分節化されています。教科ごとのバリエーションはあるのですが，よく見れば，よく似たプロセスになっています。考えてみれば，子どもにとって学習とはおおむね，新しい情報を知って，それを分析的に見て，発問や課題についての考えを作り出し，それをグループやクラスで発表し，共通する納得解を作り出して，振り返る，というようなプロセスで行われてきました。そのプロセスが可視化されているのが，この図2です。そして，それだけに終わらず，ここから，学習を子ども自身が進めるものに変える糸口が見えてきます。

そのキーワードが，「主体的・対話的で深い学び」です。序章で堀田龍也氏が述べたように，2020年度から全面実施された学習指導要領では，「主体的・対話的で深い学び」による授業改善が謳われています。

そもそも，なぜ学習を子ども自身が進めるなどということを目指すのでしょうか。それについては各所に書かれているので，改めて書く必要もないと思いますが，一つだけ，それがこれから求められる人材に不可欠だからだ，ということは記しておきたいと思います。「主体的・対話的で深い学び」は，単なるスローガンなのではなく，実際にそれが起こるようにしなければならない責任を，すべての教育者が負っているのだと思います。

（1）主体的な学び

一般に，「主体的」という単語は，「態度」と結びつきがちです。執筆者・

木村明憲氏自身も，「今までの既習事項や前時の学習とのつながりを考えるなど，学ぶことに対して興味や関心を高める活動」が「主体的な学び」につながると書いており，興味・関心を高めて学習に向かう態度を醸成することの重要性をあげています（p.23）。しかし同時に，

・ルーブリックでゴールイメージを共有すること
・学習計画を作成すること
・毎時・単元の振り返りをすること

もリストアップしています。これらは，もはや単なる「主体的な態度」につながる活動であるだけではなく，主体的であることを具現化した行動といえます。ルーブリックによって最終的に何ができればよいかを具体的にイメージする。それを目指してどのように学習するかを計画する。実際の学習を経て，学習したことを振り返って整理する。これらを実行することが，主体的に学ぶということなのです。そして，それができる力が，「学びに向かう力」です。つまり，「主体的」という語が，「力」と結びついていると考えてもよいと思います。

（2）対話的な学び

「対話的」については，

・目的をもって話し合ったり読み合ったりする
・教職員や地域の人と対話する
・公開されている文章を読み深める

活動がリストアップされています。後ろの 2 つは対話の対象や形式と関係が深いのですが，最初の「目的をもつこと」は，対話的になるための条件ともいえるでしょう。対話を通して主体的に学ぶ学習者は，目的をもって話し合いや読み合いにのぞむ必要があります。私個人は，それに加えて「考えをもつ必要がある」と言っているのですが，ここでいう目的とは，「自分の考えを他者の考えによって広げたり深めたりする」ことに他なりません。その考えが，学習内容に応じて具体性を帯びるのです。そうとらえると，対話に向かわせるために，学習内容に対して，自分自身の考えをもたせ，対話のゴールをイメージさせ，対話の結果に責任をもたせることが重

要になってきます。あれ，いつのまにか，「主体的」の解説と重なってきてしまいました。

(3) 深い学び

そうして生まれるのが，「深い学び」。堀田氏の解説では，「個別の事実に関する知識を，社会の中で汎用的に使うことのできる概念等に関する知識に構造化していく」ことだとされています。木村氏は，そのために，

・情報同士の関係づけや比較などから考える
・情報を深く理解する
・疑問や問題点を見つけ出して，解決方法を考える
・思いや考えを基に，新しい価値を作り出す

ことが大事だといいます。

学習内容を正確に理解して，記憶することはもちろん大事なのですが，それだけではない。学習したことに疑問や問題点を見つけ出さなくてはならない。そして，それを解決しなくてはならない。そして，新しい価値を作り出さなければならない。こういったことが，学びを深くするということなのです。そうなると，そういう場面を，授業の中に位置づけなくてはならなくなります。

関係づけられた情報を記憶するのではなく，情報を関係づけたり比較したりするのは，子ども自身です。疑問や問題点は，教えられるものではなく生み出すものです。そして，それを解決するのも，子どもです。もちろん，新しい価値は，その子どもにとって新しい自分なりの価値でかまいませんが，やはり作り出す主体は，子どもです。

こうしてみると，図２は，「主体的・対話的で深い学び」を，子どもを主人公にして運用するプロセスを可視化したものだととらえることができると思います。このプロセスは，第２章の図２（p.34）に，より明確に示されています。さらには，同章の図１ 単元縦断型学習の基本パターン（p.33）にも，発展的に組み込まれています。

2. 学習プロセスで必要なスキル

子どもを主人公にして学習を進めることは，かなり昔から構想されてきた，ある種の理想です。授業はじまりの挨拶をしたとたんに，教室の後ろに教師が回って，子どもたちが授業を進めるスタイルが羨望をもってみられたりします。どうすれば，そのような子ども中心の授業ができるのかという疑問がわいてきます。もちろん，自動的にそんなことが起こるわけではありません。学級開きからしばらく，それが可能になるように，表に出てこない一連のやり方や，コミュニケーションのレベルを保つ基準などが，形成されていく期間が必要です。

どのようにして学習を進めるかは，いわゆる「手順」としてとらえることができます。最初に何をするか，次に何をするか，その次に何をするか……が，全員に共有されていると，指示がない中でも授業が進んでいきます。よく似た学習内容には，同じ手順が適用できます。知識は，「宣言的知識」と「手続き的知識」に分けられますが，手順は後者，ノウハウについての知識です。

木村氏の学級の子どもたちは，授業の進行に関わる手続き的知識を共有し，それを日常的に活用しています。それをガイドしているものが，例えば上述の単元縦断型学習の基本パターンなのです。手続き的知識には，この単元全体の流し方のような大きな枠組みのものもあれば，もっと小さな枠組みのものもあります。

(1) 思考スキル（シンキングスキル）

思考スキルは，「考える」ことの意味を絞り込んで，それをノウハウとして手順化したもので，小さな枠組みに含まれるでしょう。文部科学省では，2008 年の中央教育審議会答申で，「考えるための技法」として，比較する，分類する，関連付ける，という 3 つを例示しています。これが，思考スキルにあたります。

例えば，「比較する」ときには，対象を見る視点を設定する→共通点と相違点を洗い出す→異なる視点を設定して共通点と相違点の洗い出しを継続する→十分洗い出せたら，共通点と相違点の全体をみて気づいたことをまとめる，というように思考を進めます。これが，手順というわけです。

2017 年の学習指導要領・解説では，思考スキルの例示が以下の 10 に増やされました（小学校【総合的な学習の時間編】pp.84-85)。

①順序付ける：複数の対象について，ある視点や条件に沿って対象を並び替える。
②比較する：複数の対象について，ある視点から共通点や相違点を明らかにする。
③分類する：複数の対象について，ある視点から共通点のあるもの同士をまとめる。
④関連付ける：複数の対象がどのような関係にあるかを見付ける。ある対象に関係するものを見付けて増やしていく。
⑤多面的に見る・多角的に見る：対象のもつ複数の性質に着目したり，対象を異なる複数の角度から捉えたりする。
⑥理由付ける（原因や根拠を見付ける)：対象の理由や原因，根拠を見付けたり予想したりする。
⑦見通す（結果を予想する)：見通しを立てる。物事の結果を予想する。
⑧具体化する（個別化する，分解する)：対象に関する上位概念・規則に当てはまる具体例を挙げたり，対象を構成する下位概念や要素に分けたりする。
⑨抽象化する（一般化する，統合する)：対象に関する上位概念や法則を挙げたり，複数の対象を一つにまとめたりする。
⑩構造化する：考えを構造的（網構造・層構造など）に整理する。

高次で複雑な頭の働きをどこまで細分化するかは, 実は難しい問題です。例えば，上のリストにある「理由付ける」は，理由を「多面的に見る」ことによって軽重をつけ，それらを「順序付ける」ことによって，わかりやすく根拠を示すというように，別の思考スキルを含んでいます。つまり，このリストは互いに独立した思考スキルをもれなく示しているのではなく，授業づくりの際に想定するレパートリーとみるのがよいと思います。ちなみに，泰山ほか（2014）では，19の思考スキルが提示されています。木村氏も独自に，表1のように思考スキルをリストアップしています。

（2）シンキングツール

表1には，思考スキルと対応づくシンキングツールも示されています。シンキングツールは，思考スキルの活用の仕方を可視化します。

表1　木村氏が取り上げた思考スキルとシンキングツール（レベル4）

思考スキル	シンキングツール
①広げてみる	イメージマップ，くま手チャート
②変化をとらえる	円チャート
③評価する	PMI，イメージマップ
④要約する	クラゲチャート，プロット図
⑤分類する	ベン図，くま手チャート，マトリクス，KWL，座標軸
⑥見通す	KWL，キャンディチャート
⑦焦点化する	同心円チャート，KWL，プロット図，ピラミッドチャート，フィッシュボーン
⑧関連づける	コンセプトマップ，くま手チャート
⑨関係づける	コンセプトマップ，イメージマップ，ステップチャート，円チャート，クラゲチャート
⑩比較する	ベン図，マトリクス，座標軸
⑪順序立てる	ステップチャート，データチャート
⑫理由付ける	クラゲチャート，バタフライチャート
⑬多面的に見る	PMI，くま手チャート，Y／X／Wチャート，マトリクス，バタフライチャート，座標軸
⑭構造化する	フィッシュボーン，ステップチャート，コンセプトマップ，プロット図，ピラミッドチャート

思考スキルは手順だと言いましたが，その手順が明示されているわけではありません。また，明示されていたとしても，それらを記憶できるほど単純ではありません。同じ思考スキルが，対象によっては異なる手順をとることも考えられるからです。ここで，シンキングツールが役立ちます。シンキングツールと思考スキルを対応づけることによって，手順を意識しなくても思考スキルが使えるようになるのです。

シンキングツールには，ベン図やＹチャートなどがあります（黒上ほか，2012）。ベン図は，対象の共通点と相違点を書き出す（比較する）図として，非常に有用です。Ｙチャートは，紙面を３つの領域に分けるので，それぞれの領域に設定した視点から対象を見る（多面的に見る）ことに使えます。

(3) 思考ルーチン（シンキングルーチン）

思考ルーチンは，ハーバード大学のロン・リチャートらによって開発された，思考を促す授業のステップです。１コマの授業を通したステップなので，中くらいの枠組みと言えるでしょう。

例えば，See-Think-Wonder（見える・思う・ひっかかる）というルーチンは，学習対象となる画像を念入りに見て何が描かれているかを洗い出し（See），それがどうしてそこにあるのかについて検討し（Think），そこから疑問をつくりだす（Wonder）というステップです。ルーチンとされているのは，同じステップを何度も使うからです。それによって，思考の進め方を子どもたちが習得し，互いの考えを表明することを尊重するようになります。

リチャートは，このようなルーチンを21示しています（黒上ほか訳，2015）。木村氏は，思考ルーチンをシンキングツールに対応づけています。それを一覧できるのが，思考ルーチンカードです。カードには，シンキングツールに加えて，関連する思考スキルとの関係も明示されています。子どもから見れば，シンキングツールを使うことによって，それと関連する思考ルーチンと思考スキルを同時に活用することになります。これらを全て結びつけて，実践に落とし込んでいることは，敬服に値します。

表2　シンキングルーチンとシンキングツールの関係づけ（レベル4）

シンキングルーチン	シンキングツール
①見える・思う・ひっかかる	イメージマップ
②思いつくこと・わからないこと・調べること	KWL
③４つの視点	X チャート
④ズームイン	同心円チャート
⑤鉛筆対談	イメージマップ
⑥見出し	クラゲチャート
⑦前の考え，今の考え	ベン図
⑧関連・違和感・重要・変化	X チャート
⑨色・シンボル・画像	Y チャート
⑩班活動	Y チャート
⑪なりきり	X チャート
⑫主張・根拠・疑問	ピラミッドチャート
⑬赤信号・黄信号	PMI
⑭どうしてそう言えるの	クラゲチャート
⑮綱引き	座標軸

3．本気で「主体的・対話的で深い学び」を実現するために

木村氏が開発したパワーチェックカード，シンキングルーチンカードには，思考スキル，シンキングツール，思考ルーチン以外に，情報活用の方法も明示されています。子どもたちは，常にこのカードを携帯していて，ことあるごとに参考にしながら学習をすすめます。

実は，これが「主体的・対話的で深い学び」を実現するために，強力な足場となっています。一人一人の子どもが，自分の考えをもつために必要な思考スキルが，利用できるシンキングツールとともにカードに示されています。思考ルーチンもカードに掲載されていて，それを実行するために必要となる思考スキルやシンキングツールも明示されています。子どもた

ちは，カードを見るだけで，自分たちだけで思考ルーチンを活用することができます。

カードには，思考スキル，シンキングツール，思考ルーチン，情報活用の方法のそれぞれを使うたびにチェックをつけるようになっています（最大5回）。それによって，それぞれを自覚的に身につけることができます。こうして，さまざまな手順を，小さな枠組み，中ぐらいの枠組み，大きな枠組みとして子どもたちが手にしているので，教師が事細かく指示を出さなくても，授業が前に進んでいきます。

ところで，子どもたちが自分で授業を進めることになると，大事なことを学び損なう可能性があります。それを回避するために，単元縦断型学習においては，教師が「重要語句」を示すようにしています。子どもたちは，その語句については，確実に理解し説明できるようにします。子どもたちは，学習の計画を立てて，情報を集め，シンキングツールを用いて整理し，思考ルーチンを使って考えを作り出し，深い学びを実現します。そして，深い学びの結果を，デジタル資料にまとめあげたり，単元テストを作成したりするのです。このような学習を，何年も積み重ねた子どもたちが，どのように育つのか，実に楽しみです。

Ritchhart, R, Morrison, K, Church, M. 著，黒上晴夫・小島亜華里訳（2015）『子どもの思考が見える21のルーチン～アクティブな学びをつくる～』北大路書房

黒上晴夫・小島亜華里・泰山裕（2012）『シンキングツール～考えることを教えたい～』学習創造フォーラム（オンライン）

泰山裕・小島亜華里・黒上晴夫（2014）「体系的な情報教育に向けた教科共通の思考スキルの検討～学習指導 要領とその解説の分析から～」『日本教育工学会論文誌』37(4)，pp. 375-386

■監修者

黒上晴夫（くろかみ　はるお）

関西大学総合情報学部・教授
大阪大学技官・助手，金沢大学助教授を経て現職。
学習指導要領にかかわる，高等学校部会，総則・評価特別部会，生活・総合的な学習の時間，各委員。高大接続システム改革会議新テストワーキンググループ委員。
シンキングツールやルーブリック評価の紹介，セミナー，アプリ開発を通じて，思考をうながす授業のあり方について研究している。
専門領域：教育工学
関連リンク：http://ks-lab.net/haruo
研究領域：カリキュラム，教育評価，ICT 活用
著作に『思考ツールでつくる 考える道徳』小学館，2019，『プログラミング教育導入の前に知っておきたい思考のアイディア』（共著）小学館，2017，『子どもの思考が見える 21 のルーチン』（翻訳）北大路書房，2015，『教育メディアの開発と活用』（共著）ミネルヴァ書房，2015，『考えるってこういうことか！「思考ツール」の授業』（共著）小学館，2013，『シンキングツール～考えることを教えたい～』（共著）NPO 法人学習創造フォーラム，2012 などがある。

堀田龍也（ほりた　たつや）

東北大学大学院情報科学研究科・教授，東京学芸大学大学院教育学研究科・教授
東京都公立小学校教諭，富山大学教育学部助教授，静岡大学情報学部助教授，東京大学大学院情報学環客員助教授，メディア教育開発センター准教授，玉川大学教職大学院教授，文部科学省・参与（併任）等を経て現職。
中央教育審議会委員，同 初等中等教育分科会委員，同 新しい時代の初等中等教育の在り方特別部会委員，同 教育課程部会委員。文部科学省 情報活用能力調査に関する協力者会議主査，同「教育の情報化に関する手引」作成検討会座長，同 デジタル教科書の今後の在り方等に関する検討会議座長，同 教育データの利活用に関する有識者会議座長等多数歴任。
著書に『学校アップデート』（共著）さくら社，2020，『「これからの教室」のつくりかた』（共著）学芸みらい社，2019，『プログラミング教育導入の前に知っておきたい思考のアイディア』（共著）小学館，2017，『教育メディアの開発と活用』（共著）ミネルヴァ書房，2015，『わたしたちとじょうほう 3・4 年』『私たちと情報 5・6 年』学習研究社，2010，『メディアとのつきあい方学習』ジャストシステム，2004 などがある。

■著者

木村明憲（きむら　あきのり）

1977年生まれ。1999年佛教大学教育学部教育学科卒業，2017年京都教育大学大学院連合教職実践研究科修了，2019.4～関西大学大学院総合情報学部博士後期課程。京都市立小学校，京都教育大学附属桃山小学校勤務を経て，現在桃山学院教育大学人間教育学部講師。2010年京都市総合教育センター研究課研究員として京都市のICT活用，情報教育を研究し，京都市の情報教育スタンダードを作成。2012年パナソニック教育財団の特別研究指定を受ける。学級担任の傍ら，2011年文部科学省　情報活用能力調査　作問委員。2016年NHK「しまった！情報活用スキルアップ」番組委員，2018年文部科学省委託事業「ICTを活用した教育推進自治体応援事業「情報活用能力調査の今後の在り方に関する調査研究」」問題作成等委員会に委員として携わる。主著『情報学習支援ツール』さくら社　2016年。

詳細は以下から

AK-Learning

単元縦断×教科横断

主体的な学びを引き出す９つのステップ

2020年9月10日　初版発行　　2022年1月11日　3刷発行
監修者　黒上晴夫・堀田龍也
著　者　木村明憲
発行者　横山験也
発行所　株式会社さくら社
〒101-0051　東京都千代田区神田神保町2-20 ワカヤギビル5F
TEL：03-6272-6715 ／ FAX：03-6272-6716
https://www.sakura-sha.jp　郵便振替 00170-2-361913

イラスト　坂木浩子
印刷・製本　株式会社　丸井工文社

ISBN978-4-908983-46-7　C0037

さくら社の理念

●書籍を通じて優れた教育文化の創造をめざす

教育とは、学力形成を始めとして才能・能力を伸ばし、目指すべき地点へと導いていくことでしょう。しかし、そこへと導く方法は決して一つではないはずです。多種多様な考え方、やり方の中から、指導者となるみなさんが自分に合った方法を見つけ、実践していくことで、教育文化は豊かになっていきます。さくら社は、書籍を通じてそのお手伝いをしていきたいと考えています。

●元気で楽しい教育現場を増やすことをめざす

教育には継続する力も必要です。同時に、継続には前向きな明るさ、楽しさが必要です。先生の明るい笑顔は子どもたちの元気を生みます。子どもたちの元気な笑顔で先生も元気になります。みんなが元気になることで、教育現場は変わります。日本中の教育現場が、元気で楽しい力に満ちたものであるために――さくら社は、書籍を通じて笑顔を増やしていきたいと考えています。

●たくましく豊かな未来へとつなげることをめざす

教育は、未来をつくるものです。教育が崩れると未来の社会が崩れてしまいます。教育がたくましくなれば、未来もたくましく豊かになります。たくましく豊かな未来を実現するために、教育現場の現在を豊かなものにしていくことが必要です。さくら社は、未来へとつながる教育のための書籍を生み出していきます。